D0008461

...ismes

...ismes

COMPRENDRE LA MODE

Mairi MacKenzie

Hurtubise

Sommaire

LES XVIIe ET XVIIIe SIÈCLES

LE XIXe SIÈCLE

LE XXe SIÈCLE

LE XXIe SIÈCLE

RÉFÉRENCES

Introduction

La mode est le miroir d'une société. Elle est à la fois un phénomène culturel et une activité économique complexe. Elle reflète les attitudes face à la société, à l'économie, à la sexualité et à la politique d'une période donnée.

La mode se distingue des costumes nationaux et des vêtements de cérémonie par son évolution constante. Elle se modifie sans cesse, non pas par nécessité, mais entraînée par les rouages d'un système très élaboré, où s'entremêlent notions de classes sociales, nouveautés vestimentaires et composantes économiques. Pour autant, la mode n'est pas une occupation frivole encouragée par un système économique peu soucieux de morale et suivie par un groupe de vaniteux, et il serait faux de dire qu'elle n'influence que les personnes qui y participent.

L'étude de la mode ne se limite pas au petit monde de la haute couture, des griffes, des magazines en papier glacé et d'une certaine élite. En effet, les facteurs économiques, politiques et culturels complexes associés à la production et à la consommation de la mode ont une incidence sur tous les secteurs de la société. Les progrès dans la production de la mode ont agi comme un catalyseur sur l'industrialisation, l'urbanisation et la production en série qui caractérisent l'ère moderne. Par ailleurs, la mode est partie intégrante de la construction et de la reconnaissance identitaire de l'individu. Elle participe de l'affirmation de la classe sociale, de l'âge, du groupe ethnique et surtout du sexe de la personne qui l'adopte et exprime ses préférences culturelles. Les évolutions de la mode et les réactions souvent vives du public à leur égard ont mis en lumière et permis de réviser (sans pour autant les éliminer) les préjugés sociaux profondément ancrés vis-à-vis des femmes, de la communauté homosexuelle, des jeunes, des minorités ethniques et de la classe ouvrière.

Cet ouvrage est un guide de présentation des étapes majeures qui ont jalonné l'histoire de la mode depuis le XVIIe siècle jusqu'à nos jours. Il présente de façon claire et simple le contexte, l'évolution, les facteurs essentiels et la signification de chaque mouvement. L'ouvrage, de par son format, ne propose pas une étude exhaustive des différents thèmes. Le lecteur pourra s'en servir comme base pour explorer de façon plus étendue ces derniers. Par ailleurs, du fait même de l'ampleur du sujet, plusieurs moments de l'histoire de la mode ont été laissés de côté.

La mode n'est pas apparue au XVIIe siècle, mais cette période a été choisie comme point de départ parce que les costumes de cette époque ont été conservés. C'est aussi le moment où la mode a commencé à prendre son essor.

Sauf indication contraire, les modes mentionnées dans l'ouvrage se rapportent à des vêtements portés dans les pays développés du monde occidental. Parfois, les mouvements se superposent; ils peuvent coexister ou bien partager des caractéristiques ou des acteurs importants. Le livre a été divisé en quatre sections principales, chacune étant réservée à un siècle en particulier. Ce découpage artificiel a l'avantage de fournir au lecteur une structure facile à aborder.

Mode d'emploi

Des symboles permettent d'identifier facilement si la mode dont il est question fait partie d'un vaste courant culturel (**VCC**), si elle représente simplement une tendance au sein de celle-ci (**MSM**) ou encore s'il s'agit d'une tendance identifiée par l'auteur et qui n'a pas de nom particulier (**TIA**).

VASTE COURANT CULTUREL

Par exemple, le romantisme et le modernisme, qui influencent à la fois la mode et d'autres secteurs culturels (comme la littérature, la musique, les beaux-arts et les arts décoratifs). Ce sont les mouvements les plus importants au sein desquels se distinguent parfois des sous-courants.

MOUVEMENT AU SEIN DE LA MODE

Comme le dandysme et le new-look, ces mouvements n'existent parfois que dans la mode. Ils correspondent à une période ou expriment la tendance de l'époque.

TENDANCE IDENTIFIÉE PAR L'AUTEUR

Ces tendances sont essentielles à la compréhension de la mode bien qu'elles n'aient pas de nom particulier. Les TIA sont propres à cet ouvrage et permettent de classifier facilement les modes.

INTRODUCTION

Cette rubrique présente un aperçu ainsi qu'un résumé des principaux sujets traités.

132 Consommation et célébrités VCC

Les célébrités sont les icônes de la mode de l'époque postmoderne. Le schéma traditionnel selon lequel le plus grand nombre cherchait à imiter les modes créées et portées par la classe supérieure n'existe plus. De nos jours, on aspire à ressembler aux célébrités.

CATHY MCGOWAN (1943-); **GIANNI VERSACE** (1946-1997); **ELIZABETH HURLEY** (1965-); **SARAH JESSICA PARKER** (1965-); **ASHLEY OLSEN** (1986-); **MARY-KATE OLSEN** (1986-)

postmoderne; émulation; aspiration; ère des «people»; Coolspotters; cautionner

Nous vivons à l'ère des «people». Les célébrités nous fascinent et nous voulons tout savoir sur les endroits où elles vont, sur ce qu'elles font et sur les personnes qu'elles fréquentent. Dans le même temps, elles influencent nos habitudes de consommation. Cela se traduit notamment par le goût obsessionnel du public pour la mode portée par les célébrités.

Certains ont su tirer un avantage commercial de cette fascination qu'exercent les «people». Sur Internet, on trouve des sites comme As Seen On Screen (asos.com), spécialisé dans la vente de copies de vêtements et de tenues originales portées par les célébrités. Coolspotters (coolspotters.com) n'est pas vraiment un site de vente au détail, mais il regroupe les produits, les marques et les modes portés par certaines célébrités ou par les personnages qu'elles incarnent. Des magazines spécialisés sont consacrés à la mode des vedettes et commentent leur style tout en expliquant point par point comment l'imiter. Les courriers des lecteurs croulent sous les demandes d'adresses de magasins où on peut se procurer les tenues portées par les célébrités. Les stylistes sont parfaitement conscients de l'influence que celles-ci exercent sur leurs propres créations et cherchent à établir des liens stratégiques avec celles qui ressemblent le plus à l'image qu'ils souhaitent projeter.

Les vedettes ne se contentent pas de cautionner des produits en tournant des publicités ou en portant des vêtements d'un styliste particulier (leur manque d'expérience dans la mode ne les empêche pas d'empocher des gains substantiels). Beaucoup d'entre elles ont décidé de créer leur propre marque.

Certaines célébrités ont la réputation d'avoir bon goût et exploitent leur look vestimentaire sans trop abuser de la crédulité des consommateurs, comme Sarah Jessica Parker et sa gamme «Bitten» vendue dans les magasins américains bon marché Steve and Barry's, et les jumelles Ashley et Mary-Kate Olsen avec leur marque «The Row». D'autres, au contraire, sont assez éloignées de la mode, même si elles sont parfois bien habillées. C'est le cas de Jennifer Lopez et de sa marque «Sweetface» ou de Mandy Moore et de sa gamme «Mblem».

Si l'on observe une utilisation accrue des célébrités pour promouvoir des produits, le XXIe siècle n'est pas le seul à avoir connu ce phénomène. En effet, Hollywood et les stars des années 1930 ont exercé une énorme influence sur les modes de l'époque. Les studios vantaient les copies des tenues en vogue et les magazines spécialisés qui expliquaient comment imiter les styles vus à l'écran étaient populaires. Dans les années 1960, les tenues portées par Cathy McGowan, présentatrice de l'émission musicale britannique «Ready Steady Go!» étaient copiées dans les moindres détails par les jeunes filles, à tel point qu'elle décida de créer sa propre gamme de vêtements.

← Gianni Versace, robes du soir, 1996
→ et printemps-été 1991. The Costume Institute, Metropolitan Museum of Art, New York, États-Unis.
On peut dire sans exagérer que Gianni Versace, conscient de la fascination, de la fièvre et de l'attraction commerciales que suscitent les célébrités, est un exemple de la vénération de l'industrie de la mode pour les vedettes. Pour ses défilés, il remplit les premiers rangs de visages connus et emploie des célébrités comme top models. Ses créations, résolument sexys, sont portées par des gens célèbres ou qui le deviennent grâce à elles (comme Elizabeth Hurley arrivant à la première du film de son compagnon Hugh Grant dans une robe Versace tenue par des épingles à nourrice qui fait la une des journaux). Il utilise dans ses publicités des figures emblématiques telles que Madonna, Courtney Love, Halle Berry et Britney Spears. La robe présentée à droite a été créée pour la chanteuse superstar américaine Tina Turner.

AUTRES COLLECTIONS
ANGLETERRE Fashion Museum, Bath; Gallery of Costume, Platt Hall, Manchester; Victoria and Albert Museum, Londres
AUSTRALIE Powerhouse Museum, Sydney
ÉTATS-UNIS Chicago History Museum, Chicago, Illinois
ITALIE Galleria del Costume, Palazzo Pitti, Florence

hollywoodien; postmodernisme; relance des marques

bloomer; utilitaire; avant-gardisme japonais

Consommation et célébrités 133

PERSONNAGES EMBLÉMATIQUES
Liste des personnalités éminentes associées à une mode. Elle répertorie entre autres les créateurs reconnus, les novateurs, les icônes de la mode et les critiques importants.

MOTS CLÉS
Ils résument les concepts, les styles et les questions se rapportant à une mode. Ils replacent celle-ci dans son contexte et aident à mieux s'en souvenir.

DÉFINITION
Cette rubrique décrit la mode de façon plus détaillée que l'introduction. Elle explique son importance et son histoire ainsi que les idées et les caractéristiques qui la distinguent ou la rapprochent des autres courants.

ILLUSTRATIONS
Chaque mode est illustrée d'une ou deux photographies représentatives des vêtements de l'époque, sélectionnées dans des collections de musées accessibles au public. Pour plus d'informations, reportez-vous à la rubrique « Musées à visiter » (voir ci-contre).

STYLES EN RELATION
Cette rubrique répertorie les modes dont les ressemblances, les idées ou les méthodes se rattachent au sujet traité.

STYLES EN OPPOSITION
Une mode peut être l'antithèse d'une autre ou reposer sur des principes, des méthodes ou des idées opposées.

Autres ressources de cet ouvrage

RÉPERTOIRE
L'ensemble des créateurs, novateurs, arbitres et icônes de la mode signalés comme personnages emblématiques sont classés dans cette liste par ordre alphabétique pour une consultation aisée. Celle-ci renferme également le nom de personnes qui ne sont pas mentionnées dans le corps du texte mais qui ont joué un rôle dans l'histoire de la mode. Les dates de naissance et de décès, lorsqu'elles sont connues, sont indiquées ainsi que le ou les courants les plus représentatifs associés à chaque personne.

GLOSSAIRE
Cette liste reprend les termes employés dans les définitions et explique également les notions que vous êtes susceptibles de rencontrer au cours de vos recherches ultérieures dans le domaine de la mode

CHRONOLOGIE
Ce tableau représente la chronologie des modes décrites dans l'ouvrage. Les courants culturels et les tendances de la mode durent généralement plus longtemps que ceux définis par les créateurs, les critiques ou les historiens. Les dates d'un certain nombre de mouvements de mode font l'objet de controverses; elles sont donc approximatives.

MUSÉES À VISITER
Cette liste répertorie les musées possédant des collections permanentes de vêtements de mode. Toutefois, en raison de la fragilité de ces derniers et du système de rotation des expositions permanentes pratiqué par les musées, il est conseillé de vous renseigner avant de vous déplacer.

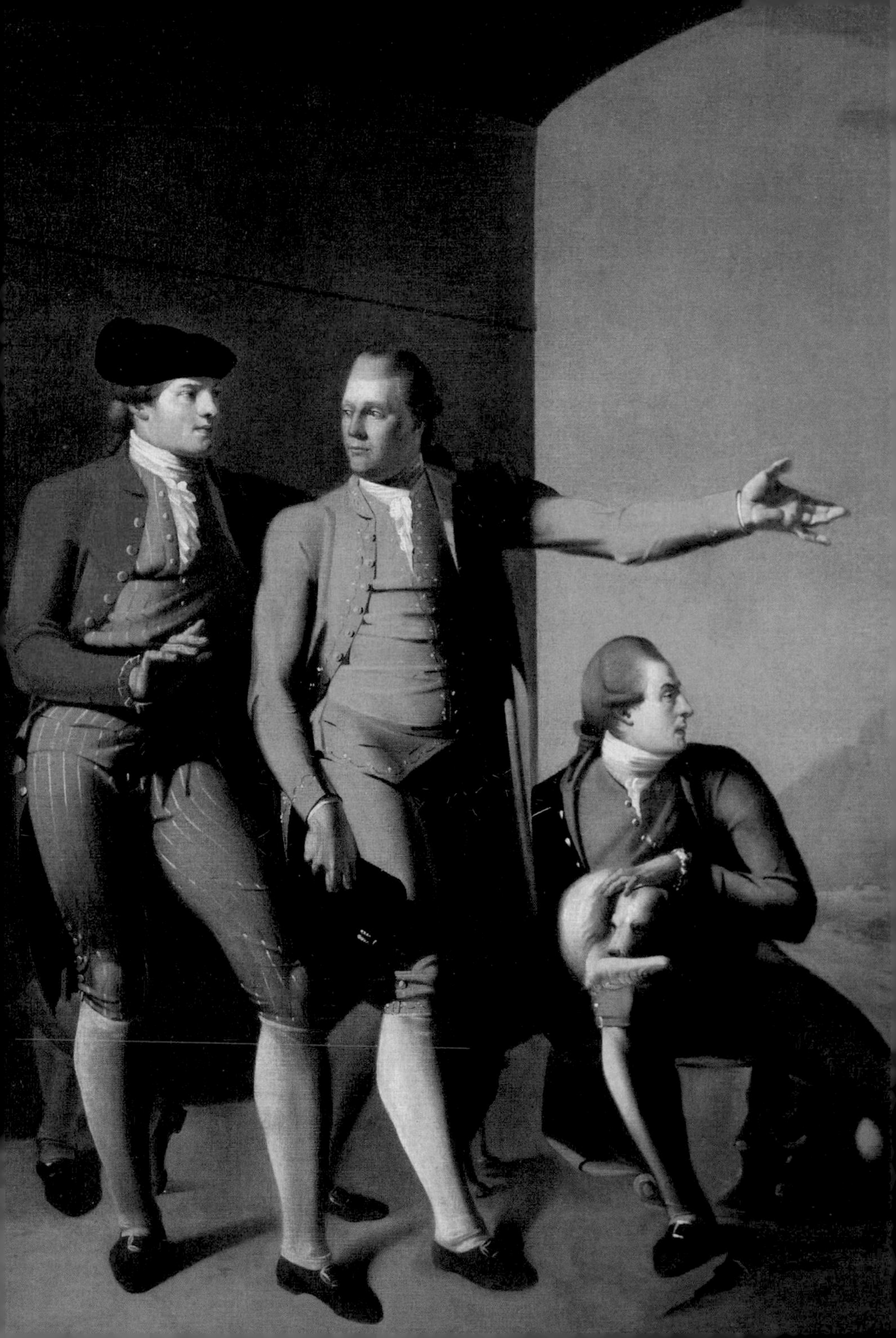

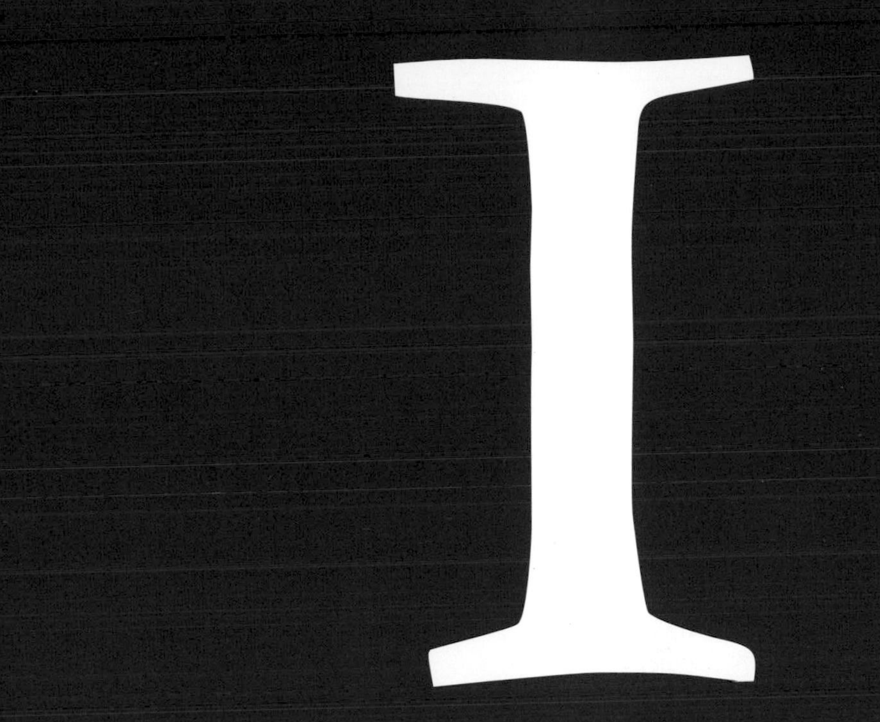

LES XVIIe ET XVIIIe SIÈCLES

Les beaux-arts et les arts décoratifs des XVIIe et XVIIIe siècles sont d'abord dominés par le style baroque, puis par le rococo. Ces deux grands courants culturels exercent une influence notable sur l'architecture, la peinture, la sculpture, la musique, la décoration intérieure, les textiles et les vêtements de leur époque.

Louis XIV; Louis XV; exotisme; industrie textile mécanisée; marchandes de mode; anglomanie; Révolution française

La mode baroque est guindée, ornée et solennelle. Les étoffes sont lourdes et arborent les dessins curvilignes typiques des arts décoratifs de l'époque. Cette période se confond avec le règne de Louis XIV (1643-1715) dont les choix vestimentaires dictent la mode. Le Roi-Soleil apprécie les vêtements et les intérieurs somptueux et il encourage ses courtisans à adopter son goût extravagant (plusieurs y engloutissent leur fortune).

La mode rococo est plus fantasque. Les silhouettes ne sont pas très différentes de celles du baroque, mais les détails des parements sont nettement plus subtils et les garnitures plus délicates. Si le baroque reflète le tempérament de Louis XIV, le rococo exprime le goût de son successeur, Louis XV.

À l'intérieur de ces courants dominants apparaissent un certain nombre de modes dont l'influence et la durée sont limitées. Vers la fin des années 1600, les routes commerciales vers le Moyen-Orient et l'Orient, empruntées depuis plusieurs siècles, sont désormais fixées. Les objets, étoffes et vêtements importés en Europe déclenchent une passion pour l'exotisme. Celle-ci se traduit dans la mode par des emprunts à diverses cultures. Le coton en provenance de l'Inde et la soie de Chine sont très recherchés; cette forte demande pousse les industries textiles européennes à développer leur technologie afin de fournir ces produits localement.

Les premiers signes de la révolution industrielle sont visibles dès le début du XVIIIe siècle, même s'il faut attendre les années 1800 pour qu'elle atteigne son apogée. C'est à cette époque que la mode commence à devenir une industrie à part entière. Plusieurs inventions (la « navette volante » de Kay, les machines à filer le coton de Arkwright et de Hargreaves et le métier mécanique de Cartwright) bouleversent l'industrie textile. Dès les années 1770 et grâce à l'évolution de l'imprimerie (amélioration des techniques de gravure), des magazines de mode décrivant et diffusant le style de la cour sont disponibles en France, en Angleterre et en Allemagne.

Être à la mode n'est plus un privilège réservé à l'aristocratie ni aux gens des villes. La mode touche désormais la classe moyenne et les populations rurales grâce à l'amélioration des moyens de communication

et à l'ouverture de boutiques de confection mieux adaptées à la présentation de ces nouveaux articles.

Dès la fin du XVIIIe siècle, la mode, jusqu'alors dominée par la noblesse, subit l'influence des tenues portées par la bourgeoisie et les artisans; une influence symbolique de la mutation sociale provoquée par la Révolution française.

Au XVIIe siècle, les vêtements pour homme subissent un changement radical. En Angleterre notamment, le style austère en vogue pendant la guerre civile laisse la place aux tenues volumineuses et très ornées de l'époque de la restauration de Charles II sur le trône (1660). Toutefois, à partir de la deuxième moitié du XVIIe siècle, l'ensemble composé d'une culotte, d'un gilet et d'une veste (précurseur du costume trois-pièces d'aujourd'hui) est adopté en Angleterre, en France et dans d'autres pays d'Europe, avec des variantes dans les tissus et les parements. Il domine la mode masculine jusqu'à la Révolution française.

Le XVIIIe siècle s'achève sur la rupture brutale de la Révolution française de 1789 qui agit sur la mode comme un catalyseur. Celle-ci va changer de manière radicale. Le vêtement se dote d'une signification politique et représente l'idéologie égalitaire de la Révolution. L'artifice et l'ostentation caractéristiques des modes de l'Ancien Régime disparaissent et sont remplacés par des tissus sobres, des silhouettes naturelles et des habits avant tout confortables. Ce changement s'effectue toutefois progressivement, et la désaffection pour les vêtements richement parés se fait sentir dès les années 1770 avec l'apparition d'une tendance naturaliste et l'engouement des Français pour le style décontracté anglais qui déclenche une vague d'anglomanie.

↑ **Peter Lely, *Le Duc et la duchesse de Lauderdale*, 1675. Huile sur toile, National Trust, Ham House, Richmond-upon-Thames, Twickenham, Angleterre.**
Les portraits des XVIIe et XVIIIe siècles sont une excellente source d'informations sur la mode portée à l'époque. Ici les riches vêtements du duc et de la duchesse reflètent leur haut rang dans l'Angleterre de la Restauration.

← **Robe à la française, vers 1760. Victoria and Albert Museum, Londres, Angleterre.**
La robe à la française devient le style dominant du vêtement pour femme au milieu du XVIIIe siècle. Les plis du dos partent de la nuque et tombent comme un sac (d'où le nom de «sacque» donné à l'époque à la robe) et l'avant s'ouvre sur une «pièce d'estomac» (sorte de plastron) décorée et un jupon assorti. Cette robe de soie raffinée et délicatement rehaussée est caractéristique de l'époque rococo. Elle est présentée ici dans une des couleurs à la mode pendant tout le XVIIIe siècle.

COLLECTIONS CLÉS
ANGLETERRE Fashion Museum, Bath
AUTRICHE Modesammlung des Historischen Museums, Vienne
ÉCOSSE National Museum of Costume, Shambellie House, Dumfries and Galloway
ESPAGNE Museo del Traje, Madrid
FRANCE Musée de la Mode et du Textile, Louvre, Paris, Musée des Tissus et des Arts décoratifs, Lyon
ITALIE Galleria del Costume, Palazzo Pitti, Florence
JAPON Institut du costume de Kyoto, Kyoto

La restauration anglaise

En 1660, Charles II d'Angleterre monte sur le trône après onze années d'exil passées en France, à la cour du roi Louis XIV. Le style exubérant et somptueux de cette période est influencé par la mode française de l'époque et symbolise le triomphe idéologique des fastes de la monarchie sur le puritanisme du Commonwealth d'Oliver Cromwell.

OLIVER CROMWELL (1599-1658); **JOHN EVELYN** (1620-1706); **CHARLES II** (1630-1685), **SAMUEL PEPYS** (1633-1703); **LOUIS XIV** (1638-1715)

rhingrave; canon; pourpoint; perruque; gilet

Le contexte politique mouvementé de l'Angleterre du XVIIe siècle se retrouve dans les vêtements de l'époque. Sous la direction du puritain Oliver Cromwell, la mode et ses partisans se cantonnent à quelques lignes, parements et couleurs. Après la mort de Cromwell et le rétablissement de Charles II sur le trône en 1660, à son retour d'exil, la mode devient ostentatoire et surchargée, à l'opposé de l'austérité relative de la période précédente. Pour les hommes, en particulier, la mode est de plus en plus extravagante. Un contemporain de cette époque la décrit comme «une étrange période efféminée où les hommes s'attachent à porter des tenues imitant celles des femmes». Des mètres de ruban, de fines dentelles, de garnitures et de nœuds décorent les vêtements de tous les jours des hommes de l'aristocratie.

La rhingrave volumineuse, déjà portée avant la restauration, s'impose après 1660. Richement parée de rubans, elle est si large (parfois plus de 1,8 mètre) qu'elle ressemble à une jupe-culotte.

↓ **Costume d'homme et cape assortie, années 1670. Victoria and Albert Museum, Londres, Angleterre.**
Cette tenue comprend une veste portée par-dessus un gilet et une culotte assez moulante. C'est un des premiers ancêtres du costume de l'homme moderne et une des nouvelles façons de s'habiller en 1666, conformément à l'édit somptuaire de Charles II d'Angleterre.
Cette tenue se distingue de ce qui existe en France à la même époque.

Autour des genoux s'enroulent des ornements appelés «canons» qui s'attachent aux extrémités supérieures des bas. Ce sont des fronces exubérantes de dentelle ou de rubans qui retombent comme un jupon au sommet des bottes, à hauteur du genou. Le pourpoint, veste courte moulante, est porté sur une chemise fluide. L'effet est complété par le port de perruques totales ou partielles à la mode, visiblement artificielles, de plus en plus excentriques et de coiffures très élaborées. Parmi les styles en vogue on retrouve l'imposante perruque aux cheveux longs avec une raie au milieu et des anglaises retombant sur les épaules. Cette coiffure est à la mode jusqu'au début des années 1700.

Dans un souci de se démarquer de l'influence de la mode française, Charles II s'applique dès 1666 à réformer le vêtement masculin et introduit à la cour un prototype de l'ancêtre du costume trois-pièces d'aujourd'hui. S'inspirant d'une tenue persane traditionnelle, il comprend un long manteau porté sous une veste de la même longueur (une évolution du pourpoint) et une culotte plutôt étroite. L'adoption et la dissémination de cette mode sont détaillées dans les inestimables commentaires de l'époque de Samuel Pepys et de John Evelyn.

Alors que la mode masculine subit une transformation radicale sous la restauration anglaise, les styles adoptés par les vêtements féminins pendant cette même période sont peu différents de ceux portés sous la monarchie des Stuart. Jusqu'en 1680, les robes sont composées d'un corsage baleiné très moulant doté d'une large ceinture et d'une jupe séparée. Toutefois, au cours de cette période en Angleterre, ces corsages deviennent plus étroits et plus longs sur le devant et les décolletés larges et profonds s'ornent de dentelle ou d'une bande de tissu.

↑ **Robe en tissu aux fils d'argent, 1660-1670.**
Fashion Museum, Bath, Angleterre.
Ceci est un des rares costumes de la période de la restauration anglaise parvenus jusqu'à nous. Probablement portée pour une grande occasion ou à la cour, cette robe est fabriquée dans un tissu extrêmement fragile composé de soie crème et de fils d'argent et garni de passements. Les robes de cette période sont constituées de plusieurs éléments. La silhouette est typique de l'époque et se démarque du style ostentatoire des vêtements masculins.

AUTRES COLLECTIONS
ANGLETERRE Museum of London, Londres
BELGIQUE Modemuseum, Hasselt
ÉTATS-UNIS The Costume Institute, Metropolitan Museum of Art, New York
FRANCE Musée de la Mode et du Textile, Louvre, Paris

 baroque; rococo; néoromantisme

 mode révolutionnaire; néoclassicisme; minimalisme

Le baroque

Le style baroque influence la mode, les beaux-arts et les arts décoratifs pendant tout le XVIIe siècle et au début du XVIIIe siècle. Il se caractérise par des ornements extravagants et des formes curvilignes. Combinant somptuosité et rigidité, ce style est étroitement associé au règne de Louis XIV. À sa mort en 1715, le côté fastueux et pompeux du baroque laisse la place au style rococo plus léger et plus fantasque.

LOUIS XIV (1638-1715); **ANTOINE WATTEAU** (1684-1721); **MARIE-ANGÉLIQUE DE FONTANGES** (1661-1681)

parement; ornement; garniture; raide; fastueux; manteau; robe à la Watteau

Le terme baroque est employé au XIXe siècle par les historiens pour qualifier un style qui leur semble grotesque et de mauvais goût, dépourvu de retenue et d'élégance. Avec le temps les mentalités ont évolué et cette période est aujourd'hui synonyme de riches ornements, de formes arrondies, de tissus pesants et de luxe ostentatoire.

La silhouette féminine générale n'évolue pas beaucoup au cours du baroque. Toutefois, les parements qui sont fluides et légers au début deviennent progressivement plus raides et chargés. Ceci reflète le tempérament du Roi-Soleil (1643-1715), d'abord jeune roi puis monarque vieillissant.

À la fin du XVIIe siècle, les femmes portent le manteau pour les grandes occasions. Vers 1680 son usage se généralise sous la forme d'une robe en forme de T inspirée du Moyen-Orient et dotée d'un corset sans baleine un peu ample adapté à la forme du corps. Il se transforme ensuite en robe d'apparat pour la cour en trois parties. Le manteau est taillé d'une seule pièce des épaules à l'ourlet du bas. Les jupes sont relevées sur les côtés et laissent apparaître un jupon assorti ou dans une couleur contrastée doté d'une traîne plus longue. Une « pièce d'estomac » triangulaire empesée met en valeur l'ensemble. Les garnitures sont nombreuses et la haute coiffure droite à la Fontanges (contrepoint des perruques masculines extravagantes), formée de passements amidonnés et de rubans, devient à la mode.

La robe de tous les jours appelée « à la française » est en vogue de 1705 environ à 1715. Elle est aussi connue sous le nom de « robe à la Watteau » en référence aux vêtements portés par les personnages des tableaux d'Antoine Watteau, où les plis tombent de la nuque au sol.

Les vêtements masculins subissent une transformation plus importante au cours de cette période. La frivolité des passements, rubans et tissus en cascade caractéristiques du début et du milieu de l'ère baroque est remplacée par un style plus raide à l'aspect rembourré, donnant aux hommes l'impression d'être des prolongations des sièges sur lesquels ils s'assoient. Sans compter les perruques qui deviennent encore plus extravagantes et imposantes. Cependant, la nouveauté la plus marquante de l'époque est l'adoption de l'habit persan composé d'une veste (faisant office de manteau), d'un gilet et d'une culotte. Pour la première fois dans l'histoire, l'habit masculin prend la forme qui aboutira au costume trois-pièces d'aujourd'hui.

↓ **Manteau de femme, «pièce d'estomac» et jupon, vers 1700. Los Angeles County Museum of Art, Los Angeles, Californie, États-Unis.**
Si les tissus et la mode de l'ère baroque sont raides et richement parés, les accessoires et les coiffures le sont tout autant. Celle à la Fontanges est haute et en pointe. Elle se compose de plusieurs étages de passements à armature reposant sur les cheveux. Elle complète ici une tenue d'apparat. Cette coiffure porte le nom de Marie-Angélique de Scoraille de Roussille, duchesse de Fontanges, favorite de Louis XIV. Après avoir perdu son chapeau au cours d'une promenade à cheval, elle attache rapidement ses cheveux avec un ruban, et donne ainsi naissance à un style de coiffure féminine qui sera en vogue de 1680 à 1715 environ

← **Veste brodée d'argent de sir Thomas Kirkpatrick taillée dans un tissu provenant de l'ouest de l'Angleterre, vers 1720. Fashion Museum, Bath, Angleterre.**
La lourde broderie d'argent au dessin compliqué, la couleur sombre et le tissu raide de cet ensemble de l'époque 1720 sont représentatifs des tenues masculines du baroque tardif. Le style de cette tenue destinée aux grandes occasions apparaît en 1666 sous le règne de Charles II d'Angleterre. La veste dépourvue de col est ajustée à la taille et reprend tout son volume au genou. Elle se porte avec un gilet et une culotte remontant jusqu'au genou. L'ensemble s'inspire de la tenue persane; il est l'ancêtre du costume trois-pièces moderne.

AUTRES COLLECTIONS

ALLEMAGNE Musée national bavarois, Munich

ANGLETERRE Victoria and Albert Museum, Londres

AUTRICHE Wien Museum, Vienne

ÉTATS-UNIS Arizona Costume Institute, Phœnix Art Museum, Phœnix, Arizona; Museum of Art, Rhode Island School of Design, Providence, Rhode Island

FRANCE Musée de la Mode et du Textile, Louvre, Paris

ITALIE Galleria del Costume, Palazzo Pitti, Florence

JAPON Musée de la mode de Kobe, Kobe

restauration anglaise; rococo; exotisme

industrie de l'habillement; moderne; utilitaire

Le rococo – qui vient du français rocaille – correspond globalement au règne de Louis XV (1715-1774). C'est un style attrayant et ornemental qui trouve son expression dans l'architecture, la décoration intérieure et la mode de cette époque, en particulier en France. Il se distingue de la pompe et de la lourdeur excessives du baroque par son côté raffiné, gai, léger et plaisant.

LOUIS XV (1710-1774); **MADAME DE POMPADOUR** (1721-1764)

robe à la française; «pièce d'estomac»; harmonie; embellissement; frivolité

Le style rococo, plus délicat et s'exprimant sur une plus petite échelle que le baroque, se caractérise par l'emploi de motifs naturalistes, de formes contournées, de couleurs subtiles et d'ornements délicats. Ce style, qui inspire également l'architecture, la peinture et les arts décoratifs, est adopté par la mode. Au cours de cette période, le vêtement devient un art à part entière et il fait l'objet d'une considération esthétique particulière.

La robe emblématique du rococo est dite «à la française». Elle repose sur une robe très lâche, mais au lieu de retomber droite depuis les épaules, elle présente dans le dos un double pli de chaque côté de la couture destiné à donner du volume. Le devant du corsage est moulant et présente un V marqué où vient se fixer une «pièce d'estomac» triangulaire rigide. Celle-ci s'apparente à un plastron – elle protège le décolleté – et sa surface est richement décorée, le plus souvent d'une échelle de rubans ou de broderies délicates. La robe est ouverte sur le devant pour laisser apparaître un jupon dans le même tissu et décoré des mêmes garnitures que la robe proprement dite. La taille étroite et la jupe ample sont obtenues grâce à un corset et un panier. Ce dernier est une sorte de jupon pliant à armatures donnant sa forme à la jupe. Les paniers apparaissent vers 1720 et sont en vogue jusqu'après 1770, où la tendance naturaliste prône la suppression de tout ce qui est artificiel et superflu. Toutefois, la silhouette féminine rococo n'est pas radicalement différente de celle de l'époque baroque et ce sont les détails extérieurs qui distinguent les deux styles. Les manchettes en passements raides sont remplacées par des volants ou engageantes en gaze légère fabriquées à la main. Les étoffes à fils d'or, sombres et lourdes du baroque sont délaissées au profit de tissus raffinés, harmonieux et délicatement décorés, s'inspirant souvent de l'exotisme, autre tendance de l'époque. La tenue est complétée par des accessoires essentiels tels que les éventails, les poches – richement décorées bien que cachées –, les coiffures et les châles. Les rubans, chenilles, plumes et fleurs artificielles sont également caractéristiques du style rococo.

→ **Robe à la française en brocart de soie, vers 1760. Institut du costume de Kyoto, Kyoto, Japon.**
Les avancées technologiques dans la production de la soie fine des ateliers de Lyon sont à l'origine des tissus légers et raffinés de la période rococo. La production de la soie, dont le commerce est soutenu par la monarchie française, bénéficie d'importantes évolutions techniques et les tissus produits sont d'une telle beauté qu'ils deviennent une des marchandises les plus recherchées d'Europe. Le brocart de soie orange utilisé pour cette robe à la française présente un dessin délicat de plante. Les motifs de l'époque sont souvent inspirés de la nature.

Madame de Pompadour, maîtresse de Louis XV, popularise le style rococo dont elle est un parfait exemple. Ses portraits la représentent vêtue d'habits agrémentés de volants, de passementerie et de fleurs, capturant admirablement la gaîté de l'esprit rococo. Les hommes, quant à eux, portent l'habit à la française. Cet ensemble composé d'une veste ajustée à la taille, d'un gilet et d'une culotte est complété par des bas de soie, une chemise à jabot et à manchettes décoratives et une cravate au nœud élaboré. De magnifiques tissus aux couleurs chatoyantes sont rehaussés de broderies recherchées et raffinées.

Pour les femmes, les parements sont importants : de la dentelle de mousseline et des boutons décoratifs sont employés pour les finitions. Hommes et femmes utilisent pareillement de la poudre pour leur coiffure, des rubans, des franges, des chaussures à talons hauts ornées de boucles et des cosmétiques. C'est la dernière fois dans l'histoire où hommes et femmes partagent ces excès d'ornements.

À partir de 1770, le style rococo commence à perdre du terrain. À la cour, cette mode légère et élégante est ensuite remplacée par des extravagances de mauvais goût associant artifice et démesure. Ailleurs, le mécontentement face à l'Ancien Régime trouve son expression dans le rejet des styles de la cour et l'adoption d'une silhouette plus naturelle et libérée.

← **Robe en soie crème, 1740-1745.**
Victoria and Albert Museum, Londres, Angleterre.
Le jupon pliant à armatures définit la silhouette et le volume de la jupe dont la taille et la forme peuvent varier. À la cour, la mode est aux paniers démesurés et de forme elliptique. La mode finit par atteindre de tels excès qu'il faut scinder les paniers en deux parties, une pour chaque hanche. Ainsi, la femme ne peut entrer dans une pièce que de profil; s'asseoir au théâtre ou lors de toute autre occasion sociale devient problématique. Elle occupe trois fois la place d'un homme.

AUTRES COLLECTIONS
BELGIQUE Mode Museum, Anvers
ÉTATS-UNIS The Costume Institute, Metropolitan Museum of Art, New York
FRANCE Musée de la Mode et du Textile, Louvre, Paris; Musée des Tissus et des Arts décoratifs, Lyon; Musée de l'histoire de France, Versailles
ITALIE Galleria del Costume, Palazzo Pitti, Florence
SUÈDE Nationalmuseum, Stockholm

baroque; exotisme; romantisme

bloomer; relance des marques; futurisme

L'exotisme

L'exotisme est l'adoption d'un style ou d'une coutume d'un autre pays, empreinte d'une fascination pour l'étranger. Il est influencé par les liens commerciaux qui se renforcent entre l'Europe et l'Extrême-Orient et par l'emploi dans les productions théâtrales populaires de styles de vêtements venus d'ailleurs. L'exotisme inspire les textiles, les parements, les silhouettes et les accessoires du vêtement de mode pendant tout le XVIIIe siècle.

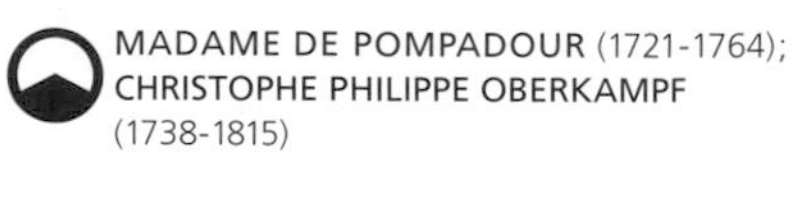

MADAME DE POMPADOUR (1721-1764); **CHRISTOPHE PHILIPPE OBERKAMPF** (1738-1815)

chinoiseries; soie peinte; toile de Jouy; Orient

Sans cesse à l'affût de nouveautés, la mode puise depuis toujours son inspiration dans les habits folkloriques, les arts décoratifs et les objets éphémères des cultures non occidentales, notamment celles du monde oriental. Les routes commerciales existant depuis des siècles entre l'Europe et l'Extrême-Orient sont officialisées à la fin du XVIIe, drainant en Occident un flot ininterrompu d'objets et de textiles. La folie de l'exotisme qui naît à cette époque va durer tout au long du XVIIIe siècle.

L'influence de l'exotisme est plus marquée dans les textiles. Le raffinement, la délicatesse et l'harmonie du rococo trouvent un parfait écho dans les peintures sur soie chinoises qui décrivent dans un style naturaliste des fleurs ouvertes, des feuilles et des oiseaux et toutes sortes de végétaux et d'animaux. Moins chers, les imprimés en coton décorés de superbes dessins chinois sont aussi recherchés.

Inspirés par la beauté des tissus venus de Chine, les fabricants européens se mettent à créer leurs propres étoffes «chinoises». Les chinoiseries connaissent une vogue sans précédent, portée par la vision d'un Orient mythique.

Cette tendance générale influence fortement la décoration intérieure au XVIIIe siècle. Des soieries aux motifs dits « bizarres » tissées en Italie, en Angleterre et en France et combinant éléments chinois et baroques deviennent à la mode vers 1700.

Les tissus indiens connus sous le nom de *chintz* en Angleterre (de l'hindi *chint*, qui signifie coton peint à la main) et de « toile peinte » en France sont aussi très recherchés. Les fabricants français, s'appuyant sur les récentes découvertes en chimie et en ingénierie, fabriquent des « indiennes » (nom utilisé indépendamment du pays d'origine). Celles-ci connaissent un franc succès à partir de 1759. La plus célèbre est la toile de Jouy créée par Christophe Philippe Oberkampf en 1762.

Madame de Pompadour, maîtresse officielle de Louis XV, est la principale instigatrice de cette mode. Elle est souvent représentée vêtue d'une robe en soie peinte de Chine et en tissu « chinois » fabriqué à Lyon, capitale française de la soie.

À partir de 1772, différents styles se succèdent rapidement, leur nom faisant référence à leur pays d'inspiration. Les robes à la polonaise, à la lévite, à la turque et à la sultane – qui évoquent résolument l'Orient – n'ont pourtant pas grand-chose en commun avec les vêtements portés dans ces contrées et suivent plutôt les conventions occidentales.

La Révolution française met un frein à la tendance exotique, mais celle-ci resurgit sous une autre forme vers la fin du XIXe siècle. Son influence est également très marquée dans les modes des XXe et XXIe siècles.

← **Robe à la polonaise en soie peinte de Chine, vers 1770. The Costume Institute, Metropolitan Museum of Art, New York, États-Unis.**
La robe à la polonaise devient à la mode dans les années 1770. Son nom fait allusion au partage de la Pologne en trois en 1772. La jupe remontée par un cordon est divisée en trois parties drapées.

↓ **Robe de chambre piquée en coton imprimé, vers 1780.**
Gallery of Costume, Platt Hall, Manchester, Angleterre.
Parfois, des habits venus de l'étranger sont intégrés aux vêtements européens à la mode. La robe de chambre, en particulier, connaît un grand succès. C'est une robe d'intérieur ample et confortable portée à partir du XVIIe siècle. Elle évolue ensuite pour s'ajuster plus près du corps et adopte des manches montées, un peu comme un manteau. Fabriquée traditionnellement en drap de lin, la robe de chambre est déclinée en soie chatoyante, en calicot et en laine brillante. Elle devient un symbole de statut social et de richesse. Ainsi les hommes posent-ils en robe de chambre pour l'exécution de leur portrait.

AUTRES COLLECTIONS
CANADA Textile Museum of Canada, Toronto
CHINE Musée du textile de Nantong, Nantong
ÉTATS-UNIS Indiana State Museum, Indianapolis, Indiana; Philadelphia Museum of Art, Philadelphie, Pennsylvanie; Textile Museum, Washington DC
FRANCE Musée des Tissus et des Arts décoratifs, Lyon
INDE The Calico Museum of Textiles, Ahmedabad
JAPON Musée national de Nara, Nara

 rococo; orientalisme; ethnique

 tenues de cérémonie; Savile Row; punk

Le naturalisme domine la mode française à partir de 1780. Ce style se caractérise par le rejet de l'artificiel et de l'extravagance au profit de la simplicité, du confort et de la fonctionnalité. Il est une manifestation du mécontentement à l'égard de la monarchie.

JEAN-JACQUES ROUSSEAU (1712-1778); **MARIE-ANTOINETTE** (1755-1793); **LOUISE-ÉLISABETH VIGÉE LE BRUN** (1755-1842)

retour à la nature; simplicité; anglomanie; robe à l'anglaise; redingote; chemise à la reine

La mode de la période rococo (à partir de 1720 environ), bien que raffinée, légère et élégante, est marquée par l'artifice. La profusion de rubans, dentelles et nœuds, les soies éclatantes et bien tissées, l'utilisation de poudre, perruques et cosmétiques (pour les deux sexes) contribuent à créer une mode davantage fondée sur la prouesse technique que sur le naturel. Cependant, à partir des années 1770, la frivolité du rococo ne s'affiche que pour les grandes occasions et la mode connaît un retour à la nature, au confort et à la simplicité.

De nombreux changements politiques, sociaux et culturels accélèrent cette transition vers un style plus dépouillé. Le refus des structures et des conventions, popularisé par Jean-Jacques Rousseau, rejoint l'animosité à l'égard des privilèges de l'aristocratie. La simplification des vêtements est symbolique du rejet de la hiérarchie sociale et de l'inégalité du système de l'Ancien Régime. Les femmes, sans se douter que la Révolution est proche, adoptent la façon de s'habiller des Américaines pendant la guerre de l'Indépendance (1775-1782). Les coiffures à la Philadelphie et les habits en simple coton gris « américain » viennent remplacer les corsets, paniers et poudres du rococo.

En outre, l'anglomanie (fascination pour tout ce qui est anglais) fait fureur car l'Angleterre est considéré comme un pays épris de liberté. À partir de 1778, les femmes mettent pour les grandes occasions des robes à l'anglaise, qui sont plus près du corps et moins voyantes, moins volumineuses que celles à la française, raides et triangulaires. Les vêtements portés traditionnellement par les Anglais pour les activités de plein air deviennent des habits de ville à la mode. La redingote féminine dérive d'une veste d'équitation anglaise dotée d'un col, de revers et de longues manches collantes fixées au corps et d'une jupe. Pour les hommes, l'anglomanie se traduit par l'adoption de chapeaux, bottes et vestes fonctionnels et confortables s'inspirant des tenues d'équitation et par le rejet des parements, perruques et bas de soie.

En réaction, les habits portés à la cour deviennent encore plus ostentatoires. Les coiffures des femmes, par exemple, prennent des proportions telles qu'elles peuvent accueillir des échafaudages composés de galions, de chariots et de paysages bucoliques. Ces coiffures sont toutefois envahies de vermine, attirée par la pâte à base de farine utilisée comme fixateur.

Philip Wickstead, *The Grand Tour Group*, 1772-1773. Peinture sur toile. National Trust, Springhill, The Lenox-Conyngham Collection, Magherafelt, Co Londonderry, Irlande du Nord.
Le «Grand Tour» est un long voyage à travers l'Europe effectué par la noblesse anglaise à des fins éducatives. De nombreuses modes vestimentaires anglaises se diffusent sur le continent à cette occasion. Les lignes sobres, fonctionnelles et sportives de la redingote masculine et de la veste d'équitation féminine sont à l'opposé des vêtements richement parés des continentaux de l'époque. C'est pourquoi ils vont influencer de manière durable les goûts et les modes locales.

Chemise en mousseline dite «robe créole», années 1780. Gallery of Costume, Platt Hall, Manchester, Angleterre.
La chemise «à la reine» ou «à la créole» ressemble au dessous dont son nom s'inspire. C'est l'article de mode féminine le plus emblématique de la fin du XVIIIe siècle. Cette chemise est fabriquée en mousseline de coton blanc. La ceinture est remontée, les manches sont froncées et la robe descend droite jusqu'au sol. Un portrait de Marie-Antoinette peint par Louise-Élisabeth Vigée Le Brun en lance la mode. Cette chemise est par ailleurs vivement critiquée et jugée vulgaire à cause de la transparence du tissu. Toutefois, elle va dominer la mode jusqu'au retour du corset, dans les années 1820.

AUTRES COLLECTIONS
ANGLETERRE Victoria and Albert Museum, Londres
ÉTATS-UNIS The Costume Institute, Metropolitan Museum of Art, New York, Los Angeles County Museum of Art, Los Angeles, Californie
FRANCE Musée du costume, Avallon
ITALIE Galleria del Costume, Palazzo Pitti, Florence
JAPON Institut du costume de Kyoto, Kyoto
PORTUGAL Museu Nacional do Traje e da Moda, Lisbonne

mode révolutionnaire; néoclassicisme; dandysme

restauration anglaise; baroque; glam; punk; avant-gardisme japonais

La mode révolutionnaire

Chemise d'homme en drap de lin et pantalon de coton, et veste de femme avec jupon, années 1790. Institut du costume de Kyoto, Kyoto, Japon.

La mode est utilisée pour identifier ceux qui soutiennent le nouvel ordre social. Les bas de soie et les culottes sont abandonnés au profit de la tenue typique des ouvriers. Celle-ci est constituée d'un pantalon long en grosse toile accompagné d'une chemise sobre (ce qui n'est pas le cas ici), d'une courte veste rouge (la carmagnole), d'une cocarde tricolore placée sur un côté du bonnet phrygien et de sabots. Les hommes vêtus de la sorte étaient appelés des « sans-culottes ». De même, les matières naturelles et les formes simples des tenues féminines remplacent les soies somptueuses et les parements exubérants.

La Révolution française va modifier radicalement la mode. Les lignes somptueuses et artificielles du rococo sont abandonnées au profit de la simplicité et du naturalisme représentant l'idéologie égalitaire des révolutionnaires.

LOUIS DAVID (1748-1825);
LOUIS XVI (1754-1793);
MARIE-ANTOINETTE (1755-1793);
MAXIMILIEN DE ROBESPIERRE (1758-1794)

simplicité; naturalisme; idéologie; la Terreur; sans-culottes

Les sources du mécontentement à l'origine de la Révolution de 1789 sont nombreuses. On y retrouve entre autres les périodes de disette, la faillite économique et l'extravagance désinvolte de la cour de Louis XVI et de la reine Marie-Antoinette (résumée par la boutade qu'on lui attribue « S'ils n'ont pas de pain, qu'ils mangent de la brioche ! »).

Le système inégalitaire de l'Ancien Régime est balayé et les vêtements prennent une signification politique en exprimant les idéaux du nouvel ordre social. La soie est remplacée par le coton, la silhouette se simplifie et les ornements ostentatoires sont supprimés. Le besoin de se distinguer de la cour est non seulement idéologique mais aussi vital pendant la Terreur (de septembre 1793 à juillet 1794) au moment où les supposés « ennemis de l'État » sont guillotinés selon les ordres de Maximilien de Robespierre.

Cependant, ce changement ne marque pas une rupture brutale avec la mode prérévolutionnaire, mais catalyse plutôt une tendance générale existante. Pour les femmes, le naturalisme amorcé dans les années 1770 se poursuit avant d'évoluer vers le néoclassicisme du Directoire (1795-1799), du Consulat (1799-1804) et de l'Empire (1804-1814). Bien avant le début du soulèvement, les femmes adoptent le style des révolutionnaires américaines de la guerre de l'Indépendance (1775-1782). Elles abandonnent les corsets, les paniers, les talons et les perruques poudrées du rococo au profit de coiffures à la Philadelphie et de tenues en simple coton gris «américain». Chez les hommes, le credo égalitaire de la Révolution est symbolisé par la tenue des sans-culottes. Les témoignages de l'époque varient, mais il semble que cette tenue était réservée presque exclusivement aux ouvriers et aux manifestants. Après la Révolution, une version modifiée de la tenue d'équitation anglaise s'impose. Composée d'une redingote et d'un pantalon, elle devient l'apanage de la classe moyenne et supérieure. Le rejet des vêtements et des tissus luxueux, symboles de la hiérarchie sociale et de l'oppression, marque un déclin des industries du textile et de la confection françaises, et ce sont paradoxalement les ouvriers qui sont les plus touchés.

L'idéalisme dogmatique des débuts de la Révolution laisse ensuite la place au Directoire, et la société recommence alors à s'intéresser aux tendances vestimentaires. Les magazines de mode refont leur apparition et le style néoclassique, inspiré par l'Antiquité gréco-romaine, domine la mode jusqu'en 1820.

← Louis David, *Portrait de Pierre Seriziat (1757-1847) beau-frère de l'artiste*, 1795. Huile sur bois; Louvre, Paris, France.
Ce portrait, exécuté par le peintre néoclassique par excellence, Louis David, montre la tenue typique de l'homme élégant de 1795, qui marque la fin de la première période de la Révolution. Les lignes admirablement coupées du pantalon moulant et le gilet croisé annoncent ce qui deviendra le costume masculin moderne.

AUTRES COLLECTIONS

FRANCE Musée du costume, Avallon; Musée de l'histoire de France, Versailles; Musée de la Mode et du Textile, Louvre, Paris; Musée des Tissus et des Arts décoratifs, Lyon

néoclassicisme; bloomer; rationalisme; moderne; utilitaire; grunge

restauration anglaise; baroque; romantisme; néoromantisme

Le style néoclassique (1795-1820), englobant le Directoire et l'Empire, est une mode sobre, relativement simple et linéaire, qui s'inspire de l'Antiquité gréco-romaine. La rupture nette avec la période rococo et ses vêtements volumineux et sophistiqués est symbolique des doctrines démocratiques de la nouvelle République française postrévolutionnaire.

LOUIS DAVID (1748-1825); COMTE SPENCER (1758-1834); MADAME DE RÉCAMIER (1777-1849)

Directoire; Empire; classicisme; Antiquité gréco-romaine; réticule; cachemire

Des éléments néoclassiques font déjà partie des tenues féminines à la mode depuis 1760. La chemise, simple robe de coton blanc, nommée d'après un dessous de l'époque, est à l'opposé de l'ensemble robe, jupe et corsage du rococo. Cette tunique pratiquement transparente, dotée de manches froncées, d'un décolleté marqué et d'un long corps tubulaire ample domine la mode néoclassique de 1795 à 1820 environ.

S'inspirant des statues grecques anciennes, les tissus sont légers et fluides : la mousseline, la gaze de coton légère et la percale produisent le drapé imitant les tenues antiques. Ces tissus servent par ailleurs à démarquer le style néoclassique des étoffes raides et lourdes des époques antérieures. La ceinture remonte au-dessous du buste, le corset est abandonné, un jupon est porté pour cacher les formes et le décolleté est large, souvent de forme carré. Les tuniques sont ornées de délicates broderies dans des couleurs ton sur ton. Les chaussures sont plates, claires et basses, pour rester dans l'esprit du vêtement. La légèreté et la relative simplicité de ces robes présentent cependant des inconvénients : il est impossible d'y ajouter des poches. Les femmes sont obligées d'utiliser à la place de petits étuis ou des sacs à main, appelés «réticules», qui se ferment par une cordelette et se déclinent dans une multitude de tissus et de styles, reproduisant toutes sortes d'objets, des ananas aux coquillages en passant par les paniers.

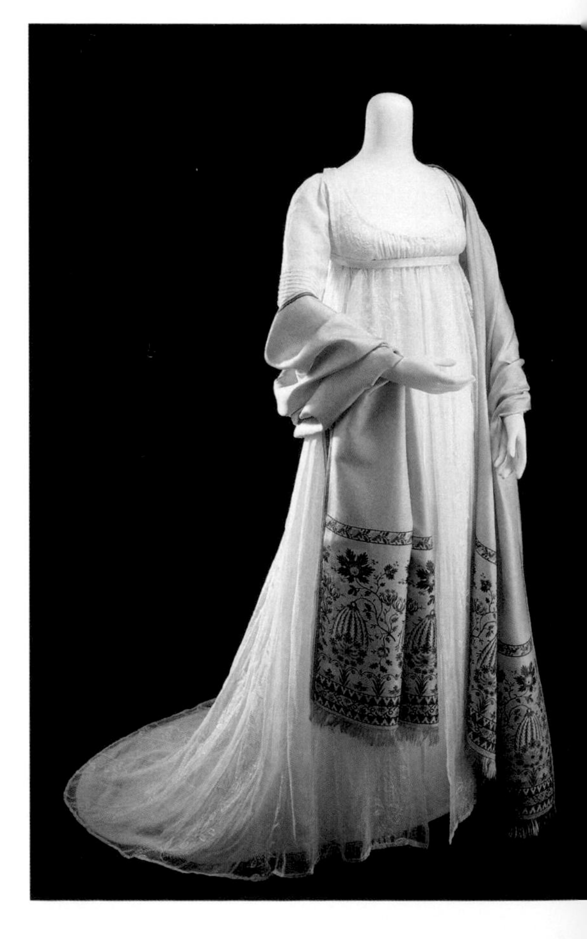

Par ailleurs, la robe en gaze à l'Antique n'offre aucune protection contre le froid de l'hiver européen et il faut la compléter par des vêtements de dessus et des accessoires. Le châle en cachemire devient à la mode. Ce tissu importé au départ d'Inde est fabriqué alors mécaniquement en laine d'agneau dans la ville écossaise de Paisley. Il arbore un dessin en forme de larme caractéristique du motif cachemire. Des tableaux de femmes à la mode les représentent drapées dans ces châles qui accentuent le côté à l'Antique. Le portrait par François Gérard (1802) d'une beauté célèbre et influente de l'époque, Madame de Récamier, dont le nom deviendra pour certains synonyme de ce style, est tout à fait représentatif de cette période. Afin de mieux se préserver de la rudesse du climat, les vestes et manteaux que nous connaissons aujourd'hui font leur apparition. La veste la plus en vogue est courte et recouvre les mains. C'est le « spencer », du nom du comte Spencer. Il est ensuite adapté pour la femme et porté entre 1795 et 1820. Dans les années 1820, la ceinture redescend à sa position naturelle et les femmes se mettent à porter de nouveau des corsets pour arborer la taille fine idéale dictée par la mode. Il faudra attendre le début du xxᵉ siècle pour que la mode féminine abandonne le corset et adopte des tenues confortables.

Louis David, *Portrait de Madame Raymond de Verninac (1780-1827)*, 1798-1799. Huile sur toile, Louvre, Paris, France.
Les tableaux de Louis David illustrent la mode vestimentaire néoclassique et contribuent à la diffusion de celle-ci. Ses œuvres représentant des femmes vêtues de robes de mousseline sobres et drapées dans des châles (qui accentuent le côté à l'Antique) ont un énorme succès auprès du public de nouveau friand de mode et de nouveautés dans cette France postrévolutionnaire.

AUTRES COLLECTIONS
ÉTATS-UNIS Philadelphia Museum of Art, Philadelphie, Pennsylvanie
FRANCE Musée de la Mode et du Textile, Louvre, Paris
IRLANDE DU NORD Ulster Museum, Belfast

Robe de mousseline et châle, 1800-1811. Victoria and Albert Museum, Londres, Angleterre.
La mode de la tunique de mousseline sobre et les autres styles néoclassiques de 1795 montrent l'influence de l'Antiquité gréco-romaine sur l'esthétique de l'époque. Partie de la chemise adoptée par les femmes dans les années 1780, la robe Empire se caractérise par une jupe sans cerceaux, une haute taille et un tissu de fine mousseline et de coton importé d'Inde.

naturalisme; mode révolutionnaire; préraphaélisme; esthétisme; Directoire

rococo; romantisme; Belle Époque; new-look

LE XIXe SIÈCLE

Introduction

La révolution industrielle influence les modes du XIXe siècle à tous les niveaux, tant sur la disponibilité des articles que sur leur prix, leur aspect et leur diffusion. Elle bouleverse la hiérarchie sociale et dès lors la classe moyenne et ses valeurs vont définir les tendances culturelles ainsi que la mode. De petits groupes dénoncent le danger de la mécanisation, les conditions de vie difficiles et les carcans vestimentaires imposés aux femmes.

révolution industrielle; avènement de la classe moyenne; sobriété; costume; corset; crinoline; haute couture

La mode au XIXe siècle reflète à la fois les avancées technologiques et le nouveau rôle socioculturel des classes et des sexes. La révolution industrielle, née au siècle précédent, s'accélère. Elle a une incidence sur la production, la diffusion et la consommation de la mode, mais elle est avant tout responsable de l'avènement de la classe moyenne et des valeurs que cette dernière impose au reste de la société.

Le développement du capitalisme industriel implique que la fortune n'est plus une question d'hérédité : le travail et la détermination sont les deux vertus qui permettent désormais de devenir riche. Le travail devient une religion, l'épargne est encouragée et la sobriété est de rigueur. L'adoption de ce code de conduite rigide traduit le besoin d'ordre en cette période de violents troubles sociaux.

Au XIXe siècle, les valeurs de la classe moyenne façonnent la mode, comme la frivolité de l'aristocratie l'avait fait aux siècles précédents. La mode représente alors les idéaux de classe et de genre et établit une nette différence entre les vêtements des hommes et ceux des femmes. Cette distinction est toujours d'actualité et est à la base de la définition moderne du masculin et du féminin.

Les hommes renoncent à rechercher la beauté pour devenir des modèles de sobriété. Les vêtements masculins exubérants et efféminés qui symbolisaient les excès

de l'aristocratie sont résolument rejetés. Ils font place au costume sombre cintré dépourvu d'ornement qui incarne la respectabilité et la noblesse d'esprit.

Au début du siècle, le style néoclassique simple, fluide et sans contrainte prédomine. Toutefois, la liberté que connaissent les femmes avec leurs robes sans corset est une parenthèse dans la mode féminine du XIXe siècle. Au fil des ans, les tenues sont plus gênantes et contraignantes. Les années 1820 voient la réapparition du corset qui est encore plus serré. Les jupes plus amples reposent au départ sur une multitude de lourds jupons puis sur l'encombrante crinoline. Les tissus se font plus recherchés et plus voyants. Les entraves à la liberté des femmes observées dans leur habillement reflètent leur rôle de plus en plus limité dans la société.

C'est au cours du XIXe siècle que l'industrie de la mode prend la forme qu'on lui connaît aujourd'hui avec la naissance officielle de la haute couture parisienne lancée par Charles Frederick Worth en 1858. C'est de cette époque que date la production de collections saisonnières, l'organisation de deux défilés annuels et la place du couturier créateur comme arbitre incontesté de la mode.

↖ **Carte de visite prise au studio Chapple de Ilminster, Somerset, 1864. National Trust, Killerton House, Exeter, Angleterre.**
La carte de visite est une photographie de studio petit format (6 x 9 cm) qui connaît un grand succès après 1860. Ici, l'homme et la femme montrent leur statut social (ou leurs aspirations) à travers leurs vêtements. La sobriété du costume masculin, en particulier, symbolise l'idéal des hommes de la classe moyenne anglaise de l'époque victorienne.

← **George Cruikshank, *Monstrosities of 1827* caricature, 1827. National Trust, Killerton House, Exeter, Angleterre.**
Le titre de cette caricature montrant les excès de la mode du XIXe siècle ne laisse aucun doute sur l'opinion de son auteur, George Cruikshank. Publiés tous les ans de 1816 à 1828, ses dessins se moquent ici des modes de 1827 et de la vanité de ceux qui s'y adonnent.

COLLECTIONS CLÉS

ANGLETERRE Fashion Museum, Bath, Victoria and Albert Museum, Londres
ÉCOSSE National Museum of Costume, Shambellie House, Dumfries and Galloway
ÉTATS-UNIS Arizona Costume Institute, Phœnix, Art Museum, Phœnix, Arizona; The Costume Institute, Metropolitan Museum of Art, New York
FRANCE Musée de la Mode et du Costume de la Ville de Paris, Palais Galliéra, Paris
IRLANDE DU NORD Ulster Museum, Belfast
JAPON Institut du costume de Kyoto, Kyoto

Le dandysme ne se réfère pas à un style particulier mais à la recherche de l'élégance vestimentaire absolue. Le premier dandy connu est George Brummell, considéré comme l'oracle de la mode par ses contemporains aristocrates. Celui-ci transforme les codes vestimentaires et les règles de bienséance de l'Angleterre par son rejet des modes excentriques au profit de tenues d'une parfaite sobriété.

GEORGE, PRINCE DE GALLES (1762-1830); **GEORGE BRYAN «BEAU» BRUMMELL** (1778-1840); **ALFRED GUILLAUME GABRIEL, COMTE D'ORSAY** (1801-1852); **OSCAR WILDE** (1854-1900); **TOM WOLFE** (1931-)

élégance vestimentaire; distinction; sobriété; modernité; bon goût

Pour le dandy, l'aspect extérieur n'est pas accessoire, c'est le but même de son existence. La tenue n'est qu'une des facettes de l'image soigneusement construite du dandy. Il s'occupe de sa toilette avec une minutie extrême et discrète, il dégage un air d'élégance et d'assurance, ses caprices font et défont les modes, il cultive les bonnes manières et surtout affiche une indifférence apparente étudiée. Baudelaire le décrit comme quelqu'un de blasé ou qui prétend l'être. Le Beau Brummell est le prototype du dandy et il règne sur la mode anglaise masculine de 1794 à 1816. N'étant pas issu de la classe supérieure, il évolue pourtant dans les milieux aristocratiques où son esprit assure son succès. Londres est la scène sur laquelle il se pavane tout en arborant un air de profond détachement. George Brummel est toutefois bien plus qu'un parvenu bien habillé. C'est un moderniste autocrate qui rejette le style aristocratique avec sa poudre, ses perruques, ses talons hauts, ses tissus de soie et de velours extravagants et ses bijoux. Il défend une mode extrêmement recherchée dans son apparente simplicité.

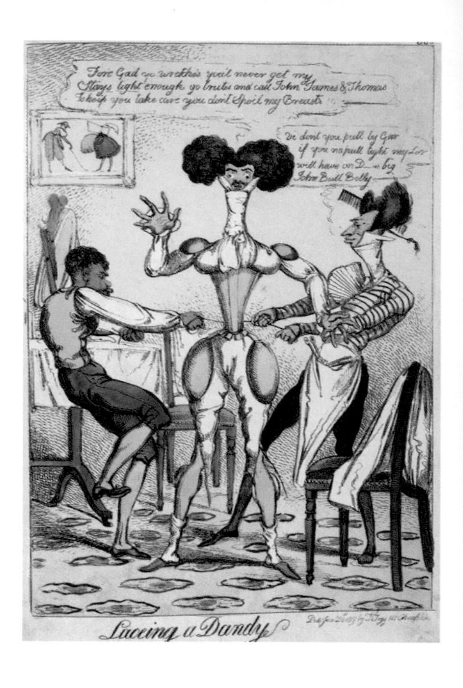

Son influence s'accroît lorsqu'il devient l'ami du prince de Galles (le futur roi George IV) et l'arbitre britannique de la mode.

La tenue préférée de George Brummel est une version tailleur confortable de vêtements de chasse, d'équitation et de loisir. Il porte un frac de couleur sombre admirablement coupé, le plus souvent bleu, à queue-de-pie et une culotte moulante (qui va contribuer à l'adoption du pantalon par la suite) et des bottes d'équitation en cuir impeccablement cirées pour le jour. Sa seule excentricité est la cravate en lin soigneusement nouée autour du col de chemise haut et empesé. Sa chevelure courte et frisée à la Titus et ses longues pattes encadrant un visage rasé de près lui donnent un air faussement décontracté alors qu'il passe des heures à soigner son apparence.

Le progrès dans la fabrication des textiles et les techniques de confection assure à George Brummell une tenue impeccable.

Les nouveaux tissus en laine sont suffisamment souples pour autoriser la coupe ajustée et parfaite qu'il recherche, et les tailleurs de Savile Row sont les premiers à exploiter les nouvelles découvertes.

En tant que philosophie, le dandysme perdure et chaque période et région voient apparaître son groupe de dandys. Le comte d'Orsay, d'origine française, supplante George Brummell lorsqu'il s'installe à Londres en 1821 et devient la référence du bon goût. Dans les années 1890, l'esthète Oscar Wilde soigne particulièrement son aspect tout en affectant un air de superbe indifférence. L'écrivain Tom Wolfe, connu pour son attitude de détachement apparent, est l'un des vrais dandys du XXe siècle.

↓ **Tenue masculine habituelle, années 1820. Victoria and Albert Museum, Londres, Angleterre.**
L'ensemble pantalon serré, gilet cintré et veste impeccablement coupée de George Brummell, qui passe pour révolutionnaire à la fin des années 1790, est adopté avec de légères modifications comme la tenue masculine de référence au début des années 1820. Entre-temps, le col, les revers et la cravate au nœud compliqué se sont faits plus discrets et le port de plusieurs gilets superposés, ou qui semblent l'être, est à la mode. Ici, on voit dépasser les bords d'un gilet rouge en satin sous le gilet beige du dessus en popeline piqué à la main.

AUTRES COLLECTIONS
ANGLETERRE Fashion Museum, Bath
AUTRICHE Modesammlung des Historischen Museums, Vienne
ÉTATS-UNIS The Costume Institute, Metropolitan Museum of Art, New York
FRANCE Musée du costume, Avallon

↖ ***Lacing a Dandy*, 1819-1846. Illustration, Museum of London, Londres, Angleterre.**
Le dandy et ses préoccupations narcissiques sont une cible de choix pour les satiristes. Il est ici représenté avec un barbier et un serviteur noir qui tirent sur les lacets de son corset. Cette caricature peut être lue à plusieurs niveaux. L'utilisation par le dandy d'un corset masculin pour affiner sa silhouette est une allusion caustique aux rites laborieux qu'il faut accomplir pour avoir l'air distingué. La figure du serviteur noir, qui fait référence à l'économie coloniale lucrative, est souvent employée pour souligner le côté absurde d'un comportement jugé sophistiqué.

néoclassicisme; Savile Row; esthétisme; moderne; néo-édouardien; football casual

rococo; orientalisme; existentialisme

Le romantisme

VCC

En réaction au rationalisme excessif du siècle des Lumières, le romantisme qui domine la mode et les arts entre 1820 et 1850 met l'accent sur les émotions et la sensibilité. La silhouette est accentuée et se caractérise par des manches gigot, des cols qui baillent, des jupes bouffantes et des tailles anormalement étroites. Les femmes ressortent les corsets qu'elles avaient mis au placard pendant la période néoclassique.

SIR WALTER SCOTT (1771-1832); **LORD GEORGE GORDON BYRON** (1788-1824); **MARY SHELLEY** (1797-1851)

antirationalisme; onirisme; émotions; corset; manches gigot; redingote

À partir des années 1820, l'idéologie rationnelle et égalitaire de la Révolution française est remplacée par un style poétique et charmant. La femme cherche à atteindre un idéal éthéré dans ses attitudes et ses tenues. Ces préoccupations montrent l'influence de la littérature romantique anglaise et écossaise, notamment en France.

→ Robe de ville, 1830-1835.
Victoria and Albert Museum, Londres, Angleterre.
Les manches gigot sont caractéristiques de la mode féminine de l'époque romantique. Elles sont froncées aux épaules, bouffantes sur la longueur et se terminent en se resserrant aux poignets. Elles connaissent leur volume maximal en 1835. On utilise parfois des cerceaux pour en accentuer l'effet, comme si les manches étaient remplies d'air. Le plus souvent on attache des boudins remplis de duvet autour des bras pour gonfler les manches. Il existe différentes variantes de cette tendance et chacune est baptisée d'un nom aux connotations romantiques, «Donna Maria», «Médicis» ou «Sultan».

Les œuvres de sir Walter Scott, lord Byron et Mary Shelley alimentent les rêves d'évasion romantiques des Européens en décrivant les états émotionnels de héros auxquels tout le monde souhaite ressembler. Cette fuite du réel et ces aspirations poétiques sont sans doute une réaction contre les effets tangibles de l'industrialisation et le rationalisme excessif du siècle des Lumières.

À l'instar de la littérature, du théâtre, du mobilier et de l'art de l'époque, la mode romantique puise son inspiration dans le passé en empruntant des détails à la Renaissance, au gothique, au rococo et surtout à la Restauration. La ceinture, qui était remontée à l'époque néoclassique, redescend à la taille et, après une brève pause, les femmes réadoptent le corset. La jupe s'est légèrement raccourcie et prend la forme d'une cloche. Elle découvre les chevilles, ce qui lance la mode de bas décorés de motifs élaborés et de chaussures de soie de couleurs vives, à talons bas et carrés, et ornées d'une rosette ou d'un petit nœud. La robe est garnie de passementeries et brodée avec des motifs romantiques, comme le bouton de rose. Le chapeau richement décoré de rubans gagne alors en largeur. La coiffure est sophistiquée et agrémentée de plumes, de fleurs et d'autres ornements.

Il n'est pas de bon ton pour une femme d'avoir l'air en pleine forme. Elle doit cultiver un air mélancolique et arborer un teint pâle, suivant l'esthétique de l'époque. Il est préférable d'être délicate plutôt que solide et il est bien vu de s'évanouir pour indiquer un grand émoi. L'homme, lui, doit cultiver une attitude pensive et une allure romantique.

Les excès de l'ère romantique s'estompent à l'approche des années 1840. Les manches reprennent un volume normal, les couleurs se font plus classiques, les chapeaux évoluent vers le bonnet et les coiffures compliquées laissent la place aux boucles encadrant le visage. Toutefois, la taille se rétrécit davantage et la jupe s'élargit encore plus. Ses proportions sont telles qu'elle doit être soutenue par la crinoline, qui fait son apparition. Le style romantique tourné vers l'évasion dérive alors vers la silhouette terriblement contraignante et délétère de l'époque victorienne.

← **Redingote, 1828-1830.**
Victoria and Albert Museum, Londres, Angleterre.
Pour les hommes, l'esprit romantique s'exprime à travers la coupe et le tissu. Les redingotes imitent la silhouette féminine cintrée avec leurs épaules rembourrées (sans toutefois atteindre les excès des manches gigot), leur taille fine et leur forme qui prend du volume dans le dos. Les garnitures en velours complètent le style romantique.

AUTRES COLLECTIONS
ANGLETERRE Abington Park Museum, Nottingham; Gallery of Costume, Platt Hall, Manchester; Fashion Museum, Bath
AUTRICHE Modesammlung des Historischen Museums, Vienne
BELGIQUE Mode Museum, Anvers
ÉTATS-UNIS Arizona Costume Institute, Phœnix Art Museum, Phœnix, Arizona; The Costume Institute, Metropolitan Museum of Art, New York; National Museum of American History, Smithsonian Institution, Washington DC

restauration anglaise; rococo; exotisme; préraphaélisme; romantisme nostalgique

mode révolutionnaire; bloomer; moderne; déconstructionnisme; grunge

L'industrie de l'habillement

Jusqu'au tournant du XIXe siècle, la mode évolue de façon régulière, marquée par les bouleversements sociaux qu'elle traverse. L'industrialisation de la production textile et le développement de la fabrication et de la vente au détail des vêtements vont tout changer. Désormais, la mode doit tenir compte de la disponibilité, du budget, de la catégorie sociale et du goût du consommateur, tout en étant rentable pour le fournisseur.

WALTER HUNT (1796-1859); **ISAAC MERRITT SINGER** (1811-1875); **ELIAS HOWE** (1819-1867); **SIR WILLIAM HENRY PERKIN** (1838-1907)

mécanisation; diffusion; urbanisation; évolution de la consommation; colorants d'aniline

L'invention du filage, du tissage mécanisé et de l'impression au rouleau permet d'accélérer la production et de réduire le coût des textiles. En conséquence, la garde-robe des gens aisés, de la classe moyenne qui s'est développée et parfois des ouvriers (habits du dimanche) devient plus variée et les modes se succèdent à un rythme plus rapide.

La démocratisation de la mode pour le public s'étend avec le perfectionnement de la machine à coudre (mise au point par Walter Hunt, puis améliorée par Elias Howe) par Isaac Merritt Singer en 1851. Elle peut être achetée sur-le-champ en payant par traites et devient ainsi à la portée de la famille moyenne. Il faudra beaucoup de temps avant que la consommation de masse ne se développe, mais dès les années 1860 le nombre d'ateliers de confection et de couture augmente. L'impression au rouleau, plus rapide et de meilleure qualité, ainsi que la baisse des coûts de production favorisent la diffusion et la popularité de la mode. Des patrons en papier améliorent la qualité des vêtements faits à la maison et font entrer les styles vestimentaires dans la plupart des foyers. Les magazines dédiés à la mode circulent largement. Celle-ci devient plus accessible et s'affirme comme un passe-temps très en vogue.

L'évolution de la consommation qui accompagne et stimule la révolution industrielle est symbolisée par l'apparition des grands magasins. C'est là que les vêtements de confection sont vendus aux riches clients, fascinés par la diversité des articles proposés. Cependant, alors que le mouvement d'industrialisation profite à certains, il est la source d'une grande misère pour d'autres. De terribles injustices accompagnent le nouvel essor de l'industrie de la mode. Le Royaume-Uni vend des esclaves africains aux États-Unis pour financer et développer son industrie du coton particulièrement rentable. De jeunes enfants dont la petite taille et l'agilité sont appréciées doivent travailler des journées entières pour quelques sous et subir parfois de terribles accidents causés par des machines dangereuses.

Il est fréquent qu'un directeur d'usine refuse de payer ses ouvriers pour des pièces soi-disant bâclées qui seront vendues de toute façon par la suite. À l'extérieur des usines, les ateliers clandestins se multiplient.

La situation engendre des poches de résistance et pousse certains à se réfugier dans le rêve. La mode passéiste, délicate et raffinée de l'époque romantique (1820-1840) est symbolique d'un besoin d'échapper aux dures réalités de l'industrialisation. Par ailleurs, le mouvement des artistes-artisans Arts and Crafts s'insurge contre les techniques (relativement) grossières de la production en série et l'abandon de savoir-faire séculaires au profit de la mécanisation. Leur programme défend l'esthétisme, l'individualité et la fabrication manuelle.

↓ **Robe de ville en soie bleue, milieu-fin des années 1860. Musée McCord d'histoire canadienne, Montréal, Canada.**
À partir de 1851, la diffusion à grande échelle de la machine à coudre a un impact direct sur l'aspect ainsi que le mode de production des vêtements. Les robes sont chargées d'une multitude d'ornements extravagants. Ici, la robe est réalisée en partie à la machine et à la main. La mécanisation de la confection n'a pas entraîné la disparition de la couture manuelle et les deux techniques coexistent pendant une longue période.

AUTRES COLLECTIONS

ANGLETERRE Bradford Industrial Museum, Bradford; Fashion Museum, Bath; Gallery of Costume, Platt Hall, Manchester
ÉTATS-UNIS Arizona Costume Institute, Phœnix Art Museum, Phœnix, Arizona; Chicago History Museum, Chicago, Illinois; The Museum at the Fashion Institute of Technology, New York
IRLANDE DU NORD Ulster Museum, Belfast

← **Détail du dos d'un corsage et d'une jupe en taffetas, vers 1869. Victoria and Albert Museum, Londres, Angleterre.**
Visuellement, les effets de l'industrialisation sur la mode trouvent leur meilleure expression dans l'emploi de colorants d'aniline. Alors qu'il cherche à mettre au point des dérivés utiles issus de la distillation du charbon, William Henry Perkin découvre par hasard, en 1856, un colorant violet qu'il baptise mauvéine. Le mauve sera à la mode pendant plusieurs années. Apparaissent ensuite de nouvelles couleurs vives – le bleu, le magenta et le rouge – qui sont immédiatement adoptées par la nouvelle classe moyenne.

production en série; moderne; mondialisation

romantisme; esthétisme; surréalisme

Savile Row

Si, au XIXe siècle, Paris, avec ses grands magasins, dicte la mode pour femme, Londres devient la référence mondiale de la façon tailleur et du vêtement masculin. Savile Row est depuis le XVIIIe siècle la rue des tailleurs renommés. Son nom devient synonyme d'excellence et de coupes impeccables, le summum du chic masculin.

GEORGE BRYAN « BEAU » BRUMMELL (1778-1840); **HENRY POOLE** (1814-1876); **TOMMY NUTTER** (1943-1992); **OZWALD BOATENG** (1968-)

façon tailleur; coupe; sobriété; élégance; qualité

Le développement de Savile Row et l'excellente réputation de ses tailleurs sont favorisés par les circonstances politiques, sa clientèle très select et les avancées technologiques. La Révolution française de 1789 provoque le rejet du style ostentatoire pour les hommes et les vêtements prennent une signification politique, reflétant les idéaux du nouvel ordre social. L'anglomanie (engouement des Français pour tout ce qui est anglais) est en vogue car l'Angleterre est considérée comme un pays de liberté. Les vêtements traditionnellement portés par les Anglais pour aller à la chasse sont adoptés comme tenues de ville.

George Bryan « Beau » Brummell, dandy et arbitre de l'élégance londonienne, prône également le port d'habits sur mesure, une pratique dérivée des vêtements de chasse. Sous son influence, le prince de Galles et l'aristocratie anglaise abandonnent la poudre, les perruques et les talons hauts au profit de tenues sobres à la coupe impeccable. Paradoxalement, c'est la mécanisation de l'industrie textile qui permet à Savile Row et aux vêtements tailleurs cousus main britanniques de prospérer. Les nouveaux tissus en laine sont suffisamment souples pour garantir une coupe parfaite et Savile Row est la vitrine des derniers développements en matière de sur-mesure.

La rue est déjà celle des tailleurs et des boutiques de mode masculine lorsque Henry Poole & Co décide d'y déplacer son entrée (qui donnait précédemment sur Old Burlington Street) en 1846. C'est le début de la gloire. Henry Poole, connu pour être l'inventeur du smoking, devient le « père fondateur » de Savile Row.

Depuis cette époque, Savile Row est réputé (à juste titre) pour l'excellence de ses vêtements sur mesure. Cependant, la baisse constante de sa clientèle, l'augmentation des loyers et le nombre de plus en plus restreint de tailleurs qualifiés menacent son avenir. La diversification dans le prêt-à-porter et le demi-mesure a permis de donner un nouvel essor au quartier.

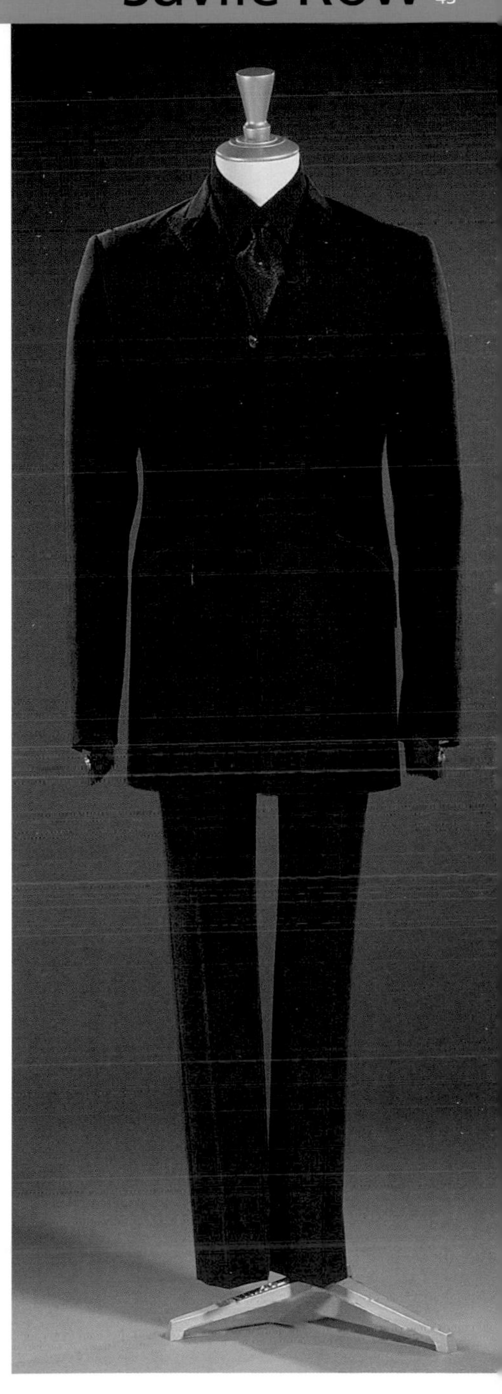

← **Tommy Nutter, costume bleu à petits carreaux, 1969. Victoria and Albert Museum, Londres, Angleterre.**
On peut penser que Savile Row, synonyme de sobriété, d'élégance et de qualité, est à l'abri des caprices de la mode. Toutefois, plusieurs tentatives ont été faites pour moderniser son aspect et sa culture. Tommy Nutter ouvre sa boutique, Nutter's, en 1969, le jour de la Saint-Valentin. Il se démarque de la tradition en combinant style contemporain et techniques classiques éprouvées. Il compte parmi ses clients Mick et Bianca Jagger, les Beatles et Yoko Ono, ainsi que des membres de l'aristocratie. Il renouvelle ainsi l'image de Savile Row. D'autres couturiers continuent dans cette voie comme Richard James, Ozwald Boateng et Timothy Everest.

→ **Ozwald Boateng, costume, 1996. Victoria and Albert Museum, Londres, Angleterre.**
Ozwald Boateng ouvre sa propre boutique en 1995. Associant innovations commerciales et techniques traditionnelles, il incarne le Savile Row du XXIe siècle. Ce costume en laine et mohair est représentatif de son travail où l'éclat de la couleur se combine à une coupe dernier cri.

AUTRES COLLECTIONS
ANGLETERRE State Apartments and Royal Ceremonial Dress Collection, Kensington Palace, Londres
AUSTRALIE Powerhouse Museum, Sydney
ÉTATS-UNIS The Costume Institute, Metropolitan Museum of Art, New York
ITALIE Galleria del Costume, Palazzo Pitti, Florence

naturalisme; néoclassicisme; dandysme; néo-édouardien

restauration anglaise; rococo, glam

Les débuts de la haute couture

Charles Frederick Worth est considéré comme le fondateur de la « haute couture », dont il définit les bases. Le créateur devient l'arbitre des élégances de l'époque, et la couture, qui était un commerce anonyme, s'élève au rang d'activité artistique. Son savoir-faire hors pair, son sens des affaires et ses créations exclusives lui font une place dans l'industrie de la mode que personne n'avait occupée avant lui.

ROSE BERTIN (1747-1813); **CHARLES FREDERICK WORTH** (1826-1895); **EUGÉNIE DE MONTIJO** (1826-1920); **GASTON WORTH** (1853-1924)

marchandes de mode; faveurs de la cour; crinoline; Chambre syndicale de la couture parisienne

En 1858, Paris possède une industrie de la mode bien développée. Cependant sa structure est loin d'être moderne. Le rôle du couturier parisien est insignifiant. Il est soumis aux règles du corps de métier qui remontent à 1675 et il a peu ou pas d'influence sur les modes en vigueur. Ce sont les marchandes de mode (fournisseuses de passementeries) qui font autorité en la matière. Rose Bertin est la plus connue et son influence sur la mode française prérévolutionnaire est sans égal depuis qu'elle est devenue la principale conseillère de mode de la reine Marie-Antoinette. Bien que Rose Bertin ne soit pas une créatrice de vêtements, son succès va favoriser la naissance de la haute couture et façonner l'univers de la mode tel que nous le connaissons aujourd'hui.

C'est l'Anglais Charles Frederick Worth qui va façonner l'industrie de la mode parisienne. Ayant travaillé pour les marchands de tissus les plus prestigieux d'Angleterre et de France, il possède déjà un sens aigu du commerce lorsqu'il ouvre sa propre maison rue de la Paix à Paris, en 1858. Il cultive dès le départ une image de luxe. À la différence des autres couturiers, il revendique un statut d'artiste et impose ses goûts à sa clientèle. Ses créations exclusives et son savoir-faire hors pair sont qualifiés de « haute couture ».

Après une résistance initiale, la réputation et le succès de Charles Worth s'imposent lorsque l'impératrice Eugénie, épouse de Napoléon III, admirant une de ses créations, lui demande de créer ses robes. Elle est tellement séduite par son art qu'en 1864 Worth lui fournit ses tenues de soirée et de cérémonie. À l'époque, les bals donnés à la cour sont fréquents et aucune robe ne peut être portée plus d'une fois. Il lui arrive de fournir plus de mille robes différentes pour une fête donnée. Ceci montre non seulement son succès mais aussi sa créativité.

Les créations de Worth se distinguent par leurs tissus luxueux, et ses premières robes sont à crinoline. Les références historiques sont nombreuses et sont probablement inspirées par les tableaux des galeries et des musées de Londres et de Paris qu'il fréquente assidûment. Les manches gigot, sa dernière contribution marquante à la mode du XIXe siècle, rappellent les vêtements portés durant l'époque élisabéthaine. L'industrie

→ **Franz Xavier Winterhalter, *Elizabeth, impératrice d'Autriche*, 1865. Huile sur toile, Kunsthistorisches Museum, Vienne, Autriche.**
Paris devient la capitale internationale de la mode grâce à Charles Frederick Worth dont les robes sont recherchées dans le monde entier. Cette magnifique robe est représentative de la silhouette Worth et fait appel à une crinoline qui, contrairement à ce que le couturier prétend, n'est pas une de ses inventions.

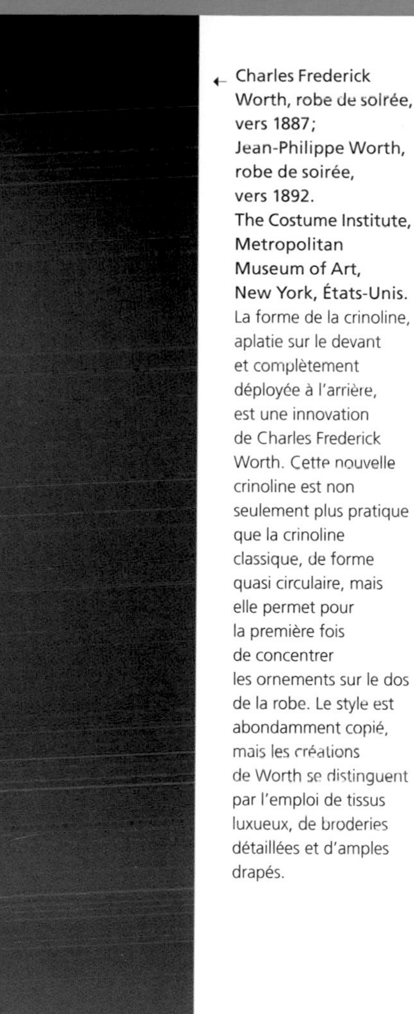

← **Charles Frederick Worth, robe de soirée, vers 1887; Jean-Philippe Worth, robe de soirée, vers 1892. The Costume Institute, Metropolitan Museum of Art, New York, États-Unis.** La forme de la crinoline, aplatie sur le devant et complètement déployée à l'arrière, est une innovation de Charles Frederick Worth. Cette nouvelle crinoline est non seulement plus pratique que la crinoline classique, de forme quasi circulaire, mais elle permet pour la première fois de concentrer les ornements sur le dos de la robe. Le style est abondamment copié, mais les créations de Worth se distinguent par l'emploi de tissus luxueux, de broderies détaillées et d'amples drapés.

de la haute couture contemporaine doit beaucoup à Charles Worth. Il fonde en 1868 une association des maisons de couture destinée à réglementer et protéger les œuvres des couturiers parisiens. Son fils Gaston renforce ses pouvoirs et celle-ci devient la Chambre syndicale de la couture parisienne, qui contrôle encore aujourd'hui la haute couture contemporaine. Le cœur de la haute couture parisienne est aujourd'hui situé aux environs de la rue de la Paix, près des locaux de la première maison de Charles Worth.

AUTRES COLLECTIONS

ANGLETERRE Museum of London, Londres
AUTRICHE Modesammlung des Historischen Museums, Vienne
ÉCOSSE National Museum of Scotland, Édimbourg
ESPAGNE, Museo del Traje, Madrid
ÉTATS-UNIS Brooklyn Museum, New York; Cornell Costume and Textile Collection, Cornell University, Ithaca, New York; Museum of the City of New York, New York; Museum of Fine Arts, Boston, Massachusetts; State Historical Society of Wisconsin, Madison, Wisconsin
RUSSIE Musée de l'Ermitage, Saint-Pétersbourg

rococo; Belle Époque; new-look; mort de la haute couture

rationalisme; production en série; moderne; minimalisme

Les tenues de cérémonie

TIA

L'adoption d'une tenue spécifique lors des rituels sociaux que sont le mariage et le deuil est une constante dans l'histoire de la mode. Cependant, durant tout le règne de la reine Victoria d'Angleterre (1837-1901), les codes vestimentaires et rituels du deuil se compliquent largement. Pendant cette même période, la robe blanche de mariage est très en vogue, même si elle n'est pas soumise à des règles aussi strictes.

PRINCE ALBERT D'ANGLETERRE (1819-1861); **REINE VICTORIA** (1819-1901)

code vestimentaire; règles complexes; bonnes manières; grand deuil; demi-deuil; crêpe; alépine; mariage en robe blanche; vertu

La société victorienne repose sur des règles de bienséance complexes auxquelles adhèrent les gens «de qualité». La reine Victoria elle-même donne le ton à la mort de son époux le prince Albert en 1861 dont elle portera le deuil jusqu'à la fin de sa vie. Le deuil est divisé en plusieurs périodes de durée variée : le grand deuil, le deuxième temps et le petit deuil. Vient ensuite le demi-deuil. Suivant les liens de parenté avec le défunt, chaque étape est plus ou moins longue, mais les femmes sont soumises à des règles et des contraintes plus sévères que les hommes, dans cette société patriarcale. En Angleterre, la veuve doit porter le deuil pendant deux ans et demi alors que le veuf ne doit le respecter (de façon visible) que trois mois, se limitant le plus souvent à un brassard en crêpe noir.

La femme, en revanche, doit suivre toute une série de règles compliquées lui dictant quels vêtements porter, comment et quand les utiliser. Le système rigoureux précise entre autres le type de tissu, la coupe, la silhouette, les boutons, les dessous, les passements et les accessoires adéquats. Le crêpe (soie mate légère) ou l'alépine (soie mate raide) sont les tissus acceptés pour le grand deuil, auxquels vient s'ajouter la soie mate pour le deuxième temps. Pendant le demi-deuil, le gris, le mauve et le violet sont autorisés en plus du noir.

Depuis le Moyen Âge, la robe blanche est une des tenues de mariage les plus utilisées. Vers le milieu du XIXe siècle, elle s'impose à l'exclusion de toute autre pour les femmes désireuses d'afficher leur rang et leur vertu. Comme pour la tenue de deuil, c'est la reine Victoria qui lance la mode en se mariant en blanc.

Toutefois, ces convenances ne sont pas universellement respectées et le prix prohibitif d'une tenue de grand deuil ou d'une robe de mariage est loin d'être à la portée de toutes les bourses. Pour les mariages, on choisit habituellement une jolie robe de ville dans un tissu de couleur que l'on associe parfois à du blanc davantage à la mode (mais plus cher). La tenue de deuil est plus pro-

blématique. Il est impensable, voire déshonorant, de ne pas respecter le deuil et bien que cela ne soit pas toujours faisable, tout est mis en œuvre pour suivre au mieux la tradition.

La robe longue de mariée blanche en vogue à l'époque victorienne est toujours à la mode aujourd'hui. Le rituel du grand deuil est lui abandonné à la Première Guerre mondiale où des pratiques plus réalistes sont adoptées face à un nombre de pertes humaines sans précédent.

Richard Redgrave, *Throwing Off Her Weeds*, 1846. Huile sur bois, Victoria and Albert Museum, Londres, Angleterre.
Bien que les veuves soient en droit d'abandonner leurs vêtements de deuil au bout de deux ans, nombre d'entre elles continuent à les porter bien au-delà de la période prescrite. Ce n'est pas le cas de la femme représentée ici. Elle a hâte de remplacer sa robe noire par une de couleur mauve convenant au demi-deuil. Plusieurs indices suggérant son prochain remariage expliquent son empressement : la fleur orange (portée traditionnellement pour un mariage) et la coiffe de mariée dans le carton à chapeau.

Robe de mariée, 1864. The Costume Institute, Metropolitan Museum of Art, New York, États-Unis.
La robe de mariée tend à suivre la mode de son époque. Ici, elle arbore une crinoline (jupe à cerceaux) qui donne plus de volume au dos de la jupe. Ce type de crinoline, en vogue à l'époque, dérive de la crinoline en cloche des années 1850.

AUTRES COLLECTIONS
ANGLETERRE Brighton Museum and Art Gallery, Brighton; Fashion Museum, Bath; Gallery of Costume, Platt Hall, Manchester; Geffrye Museum, Londres; National Trust, Killerton House, Exeter; Whitby Literary and Philosophical Society, Whitby; Worthing Museum and Art Gallery, Worthing; York Castle Museum, York
AUSTRALIE National Gallery of Victoria, Melbourne
BELGIQUE Modemuseum, Hasselt
ESPAGNE Museo del Traje, Madrid
ÉTATS-UNIS National Museum of American History, Smithsonian Institution, Washington DC
JAPON Institut du costume de Kyoto, Kyoto

industrie de l'habillement; Belle Époque; néovictorien

glam; punk

Le style bloomer

Le *bloomer*, conçu en 1851 pour le confort, fait partie de la garde-robe des femmes adeptes du changement. Son nom dérive de celui de la féministe américaine Amelia Jenks Bloomer. La tenue comprend une robe-tunique arrivant au genou et un pantalon bouffant de style oriental descendant jusqu'aux chevilles. Cependant le *bloomer* est vite abandonné car il donne un air ridicule et dessert plus qu'il ne sert la cause des féministes de l'époque.

ELIZABETH CADY STANTON (1815-1902); **AMELIA JENKS BLOOMER** (1818-1894); **SUSAN B. ANTHONY** (1820-1906); **ELIZABETH SMITH MILLER** (1822-1911)

réforme vestimentaire; féminisme; journal *The Lily*; revue *Punch*

Alors que les robes deviennent de plus en plus sophistiquées et inconfortables, certains groupes se rebellent. Ils veulent libérer la femme du carcan imposé par la silhouette victorienne, abolir les différences de classes et combattre l'inégalité des sexes. Les origines de ce mouvement remontent à la Révolution française. Au début du XIXe siècle, il est associé aux idées religieuses et progressistes en vigueur aux États-Unis et en France. Le *bloomer* est l'une des tentatives de réforme vestimentaire les plus connues au XIXe siècle. La tenue, qualifiée de «turque» au départ, comprend un pantalon court bouffant froncé aux chevilles par une bande de dentelle ou une lanière, une jupe ample s'arrêtant juste au-dessous du genou et un corsage simplifié non comprimant doté d'une large ceinture pour marquer la taille. Le tout est complété par une paire de bottes en cuir souple et un chapeau à petits bords. Bien que l'inventeur de cette tenue soit Elizabeth Smith Miller, c'est la féministe américaine Amelia Jenks Bloomer qui lui donne son nom. En 1848, inspirée par les suffragettes et les militantes Elizabeth Cady Stanton et Susan B Anthony, Amelia Bloomer lance son propre journal, *The Lily,* consacré aux causes féminines et à la mode. Elle défend la «robe de la réforme» avec un tel enthousiasme dans ses articles que celle-ci finit par prendre son nom.

Cet ensemble confortable qui présente une alternative à la robe corsetée gênante et contraignante de l'époque est une tentative bien modeste de réforme du vêtement féminin. Toutefois elle est tournée en ridicule et déclenche les critiques les plus acerbes. La revue satirique britannique hebdomadaire *Punch*, en particulier, la tourne en dérision. Des caricatures mêlant amusement et consternation montrent l'absurdité supposée des *bloomers* et soulignent le danger qu'ils représentent pour la société victorienne patriarcale. Ces dessins satiriques d'hommes émasculés par des femmes en pantalon court sont accompagnés de légendes qui ne laissent aucun doute au lecteur quant à l'incongruité d'une telle tenue. On lit, entre autres, que «l'un des effets les plus amusants, c'est que ce sont les femmes qui vont désormais demander les hommes en mariage».

La mode du *bloomer*, ridiculisé de façon unanime, va très rapidement disparaître car celui-ci dessert la cause qu'il est censé défendre. Amelia Bloomer est, sans surprise, une des dernières femmes à porter cette tenue qu'elle abandonne en 1859. Toutefois, après avoir été durant toute sa vie l'objet de railleries à cause du vêtement qui porte son nom, elle est vengée à la fin des années 1890 lorsque la jupe-culotte devient une tenue acceptée pour les femmes adeptes du vélo.

Partition ornée du portrait d'Amelia Bloomer «I want to be a Bloomer» (je veux être un *bloomer*) chanté par Miss Rebecca Isaacs, paroles de Henry Abrahams, musique de W. H. Montgomery, années 1860.
La réaction du public à l'égard du *bloomer* qui a été porté par un nombre limité de femmes pendant une très courte période est complètement disproportionnée. Des caricatures et des articles le tournent en ridicule et des chansons de music-hall telles que celle-ci déclenchent les rires alimentés par les railleries constantes dont Amelia Bloomer et ses acolytes font l'objet.

AUTRES COLLECTIONS
Bien qu'il existe de nombreuses illustrations du *bloomer*, aucune tenue de l'époque n'a survécu.
ÉTATS-UNIS Seneca Falls Historical Society Archive Collection, Seneca Falls, New York (contient des objets éphémères mais pas de vêtement)

préraphaélisme; rationalisme; Arts and Crafts; existentialisme

rococo; débuts de la haute couture; Belle Époque; new-look

Le style préraphaélite

Des années 1850 à 1870, une variante simplifiée de la tenue féminine portée sur une silhouette sans corset est adoptée en Angleterre par les femmes et les modèles de la Confrérie préraphaélite et par leur entourage. L'influence de ce mouvement sur la mode dominante s'exerce jusqu'au début du XXe siècle.

G. F. WATTS (1817-1904); **DANTE GABRIEL ROSSETTI** (1828-1882); **JANE MORRIS** (1839-1914); **ARTHUR LASENBY LIBERTY** (1843-1917); **MARY ELIZA HAWEIS** (1848-1898)

sans corset; médiéval; draperie; ample; couleurs pâles

À partir des années 1830, les mouvements européens en faveur d'une réforme vestimentaire reflètent l'évolution des arts, de la littérature, de la philosophie et de la politique. Les membres de la Confrérie préraphaélite sont des artistes qui se passionnent pour les peintres du Moyen Âge et leur technique. Leur idéal s'oppose aux modes de fabrication modernes célébrés par l'Exposition universelle de 1851. Ils prônent le naturel et la beauté en toute chose. Ils prennent part au débat sur le changement des normes vestimentaires en 1848 et préconisent des tenues féminines sans corset, moins contraignantes, plus fluides et plus naturelles, qu'ils représentent dans leurs tableaux.

Les femmes peintes par les artistes préraphaélites Dante Gabriel Rossetti, John Everett Millais et Edward Burne Jones vont inspirer les réformateurs de la mode de leur époque et des années suivantes et promouvoir la robe « artistique ». Les modèles de leurs tableaux portent des tenues tirées des *Costumes historiques des XIIIe, XIVe et XVe siècles* de Camille Bonnard publié en 1829-1830 à Paris.

Les vêtements de tous les jours, moins influencés par les costumes anciens, sont amples et la silhouette est simple, sans sous-vêtements ajustés. Les couleurs sont pâles et naturelles. Les habits préraphaélites sont à l'opposé de la mode de l'époque caractérisée par un corset serré, des tissus apprêtés, des crinolines encombrantes et des couleurs foncées artificielles.

Pour la société victorienne, l'absence de corset révèle forcément des femmes aux mœurs légères et donc immorales et les porteuses de robes artistiques sont traitées d'impudiques.

Le commerce influence aussi le style préraphaélite. À partir de 1875 apparaissent des

John R Parsons, *Jane Morris, posed by Rossetti*, 1865. Photographie, Victoria and Albert Museum, Londres, Angleterre.
Jane, épouse du créateur et socialiste influent William Morris, est dessinée et peinte à plusieurs reprises par Rossetti au cours des années 1860 et 1870, portant une robe de soie ample d'une seule pièce. Le tour de cou et le bord des manches sont discrètement rehaussés d'une tresse ou d'une broderie et les manches longues rappellent un peu les robes de la Renaissance.

soies fluides et subtiles aux teintures végétales et des tissus en laine importés d'Asie par Arthur Lasenby pour son magasin East India House, qui font l'admiration des peintres dont Rossetti.

En dehors du cercle immédiat des préraphaélites, la robe artistique coïncide avec le goût pour les formes et les draperies classiques et avec l'engouement pour les objets venant du Japon. La tenue japonaise n'est pas proposée comme une alternative aux vêtements à la mode, mais elle est ample, à l'instar de la robe classique, et s'attire les faveurs des artistes. À la fin des années 1870, ces habits sont arborés par les modèles des tableaux de James Abbott McNeill Whistler et de Lord Frederic Leighton. L'influence des vêtements portés dans les cercles artistiques sur la mode dominante se maintient. Elle transparaît, par exemple, à travers les articles de Mary Eliza Haweis dans le magazine *The Queen*, publication de mode de grande diffusion qui fait autorité, et son livre *The Art of Dress*, publié en 1879, où elle donne son interprétation de la robe médiévale revue par les préraphaélites.

La version masculine de la tenue préraphaélite consiste en une veste en velours et une lavallière; elle s'inspire du mouvement romantique du début du XIXe siècle.

↑ G. F. Watts, *Jane Elizabeth (Jeanie) Hughes, Mrs Nassau Senior*, 1857-1858. National Trust, Wightwick Manor, Wolverhampton, Angleterre.
La couleur de la chevelure lâchée contraste avec le bleu violet vif de la robe. La ceinture est à sa position naturelle et les manches longues sont amples et bordées de dentelles. Mrs Nassau Senior, amie de Watts et Rossetti, milite à l'époque pour l'émancipation féminine.

AUTRES COLLECTIONS
ANGLETERRE The National Portrait Gallery, Londres; Tate Britain, Londres; Watts Gallery, Compton, Guildford

esthétisme; rationalisme; Arts and Crafts

futurisme; nouveau romantisme; consommation et célébrités

L'esthétisme

Au cours des années 1880 en Angleterre, un certain nombre de mouvements militent pour la réforme vestimentaire et le retrait du corset, de la tournure et des talons hauts qui entravent la liberté des femmes. Comme leurs homologues de la *Rational Dress Society* (fondée à Londres en 1881), les partisans du courant esthétique rejettent la mode très contraignante et inconfortable de l'époque. Ils considèrent que l'esthétique est aussi importante que la fonctionnalité.

ARTHUR LASENBY LIBERTY (1843-1917); GEORGE DU MAURIER (1834-1896); MRS JOSEPH COMYNS CARR (1850-1927); MARY AUGUSTA WARD (1851-1920); OSCAR WILDE (1854-1900); CONSTANCE WILDE (1858-1898)

fluide; smocks; robe liberty; couleurs chaudes; magazine *Punch*; bohème; esthétique; motifs naturalistes

Inspirées par le style des tenues représentées dans les tableaux préraphaélites, les adeptes féminins du courant esthétique portent les cheveux longs, plutôt frisés, et remontés au-dessus des yeux. Les robes fluides et le plus souvent sans corset abandonnent les ornements frivoles au profit de smocks ou de broderies simples et de manches amples rappelant les habits du Moyen Âge. Les tissus sont en coton léger, en velours, en soie liberty et dans des couleurs chaudes obtenues par teinture naturelle, des demi-tons de jaune, bleu paon, cannelle, vert sauge et or. La femme esthète type est décrite par ses contemporains comme « blafarde, à grand front et cou d'albâtre ». Elle a « l'air blême, négligée, pittoresque, comme les modèles préraphaélites aux cheveux en désordre ».

Les femmes sont brocardées pour leur aspect échevelé et maladif et les hommes sont jugés trop raffinés, mous et dépourvus des qualités appréciées du gentleman impassible de l'ère victorienne. Les caricatures de George du Maurier dans le magazine satirique britannique hebdomadaire *Punch*, sont particulièrement acerbes. La silhouette voûtée, l'homme esthète est représenté comme un être mou, efféminé, et la femme est montrée comme légèrement dérangée et assez laide. Du Maurier, qui fréquente de nombreux esthètes, n'a pas eu à chercher loin ses modèles pour ses caricatures. Les esthètes font également les frais de Gilbert et Sullivan, dont l'opérette *Patience* ridiculise leur mouvement. Le personnage principal s'inspire d'un des esthètes les plus connus, Oscar Wilde.

La mode esthétique n'est portée que par un petit groupe de gens bohèmes et le plus souvent privilégiés. Parmi les plus connus on retrouve Mary Augusta Ward (romancière à succès) et Mrs Joseph Comyns Carr (dont l'époux est le directeur de la galerie à la mode Grosvenor). Cependant, ce courant a une certaine influence sur la mode dominante, particulièrement chez les classes moyennes et supérieures. La robe d'après-midi commence à faire fureur et c'est en fait une version plus à la mode que celle portée par les esthètes. En 1910, Paris, qui est toujours la capitale de la mode, s'inspire consciemment ou non de ces bohèmes de la classe moyenne.

← **Napoleon Sarony, *Portrait photo of Oscar Wilde*, 1882. Tirage à l'albumine, National Portrait Gallery, Londres, Angleterre.**
Oscar Wilde est l'archétype de l'esthète masculin. Il milite pour une tenue esthétique plus rationnelle et séduisante que celle proposée par la mode dominante. Selon lui, la tombée du vêtement doit partir des épaules et non pas de la taille; la pointe des chaussures à hauts talons doit être surélevée pour assurer un meilleur maintien; le corps doit être aussi libre que possible pour une meilleure hygiène et un meilleur confort et les vêtements devraient s'inspirer des lignes classiques de l'Antiquité. Son épouse Constance est également en faveur des réformes vestimentaires.

↓ **Robe liberty, 1897. Victoria and Albert Museum, Londres, Angleterre.**
En 1884, Liberty and Co de Regent Street (appartenant à Arthur Lasenby Liberty) ouvre un rayon de robes pour sa clientèle esthète. Cette robe liberty, avec ses couleurs subtiles, ses motifs naturalistes de pamplemousse et de tournesol et son style médiéval, constitue un parfait exemple de vêtement esthète.

AUTRES COLLECTIONS
ANGLETERRE Ferens Art Gallery, Hull
AUSTRALIE Powerhouse Museum, Sydney
AUTRICHE Musée autrichien des arts appliqués, Vienne
ÉTATS-UNIS The Fashion Institute of Design and Merchandising, Los Angeles, Californie; Ohio State University Historic Costume and Textiles Collection, Columbus, Ohio; Wisconsin Historical Museum, Madison, Wisconsin
FRANCE Musée de la Mode et du Costume de la Ville de Paris, Palais Galliéra, Paris; Musée de la Mode et du Textile, Louvre, Paris
HONGRIE Musée des Arts appliqués, Budapest

naturalisme; préraphaélisme; rationalisme; nouveau romantisme

baroque; rococo; Belle Époque

Le rationalisme

La *Rational Dress Society* naît à Londres en 1881. Dirigée par la vicomtesse Harberton et Mrs Emily M. King, cette société a pour objet de révolutionner la mode féminine. Horrifiés par les risques sérieux pour la santé que présentent les carcans vestimentaires imposés par la mode de l'époque, ses membres militent pour des tenues confortables, pratiques et légères.

DR GUSTAV JAEGER (1832-1917);
VICOMTESSE HABERTON (1843-1911);
EMILY M. KING (INDISPONIBLE);
GEORGE BERNARD SHAW (1856-1950)

santé; confort; pratique; cyclisme; utilitaire

En dehors de la brève apparition du style ample néoclassique du début du siècle, le corset règne en maître sur la mode féminine tout au long des années 1800 (comme aux siècles précédents). Hautement inconfortable, peu hygiénique et terriblement contraignant, le corset présente toutes sortes d'inconvénients, voire des dangers pour la santé, comme l'indiquent les rapports médicaux de l'époque. Il provoque, entre autres, l'écrasement des organes internes, la perforation des poumons et des reins due à des côtes cassées, la baisse sévère de la capacité pulmonaire, les fausses couches, des problèmes de peau et la mauvaise haleine causée par une mauvaise digestion. Tout aussi contraignante bien que moins délétère, la mode des tenues à crinoline excessivement lourdes, des tournures encombrantes, des tissus raides et des hauts talons entrave la liberté des femmes et nuit à leur confort.

Inquiètes à juste titre pour le bien-être des femmes, la vicomtesse Haberton et Mrs Emily M. King, militantes féministes connues, fondent la *Rational Dress Society* en 1881 à Londres. Cette société n'est pas en faveur d'une évolution du vêtement mais plutôt d'une révolution. Elle publie dans sa propre gazette un manifeste radical décrivant ses objectifs : « la *Rational Dress Society* s'oppose à l'introduction de toute tenue à la mode qui déforme la silhouette ou entrave les mouvements ou encore qui nuise de quelque façon que ce soit à la santé. » Vient ensuite la liste des articles à proscrire. En 1884, l'Exposition internationale de la santé qui se tient à Londres offre un tremplin à la *Rational Dress Society* et consacre une section aux vêtements assurant le bien-être des femmes.

La vicomtesse Harberton présente un vêtement simple, que l'on qualifierait aujour-

d'hui de jupe-culotte, qui est extrêmement bien reçu par le public. Le Dr Gustav Jaeger, éminent zoologiste allemand, tient les mêmes propos que les rationalistes. Ses observations hygiénistes sur l'influence du vêtement sur la santé le poussent à recommander le port exclusif de tissus d'origine animale (la laine, le cachemire) à même la peau. Critique, il signale le danger que représentent les fils issus de plantes (comme le lin) qui agissent comme un poison sur le corps car les « fibres des végétaux morts absorbent des vapeurs dangereuses à froid qu'ils dégagent ensuite au contact de la chaleur corporelle, ce qui contamine l'air ambiant ». Ses théories farfelues ne l'empêchent pas d'avoir du succès et l'appui de nombreux supporters.

← **Jaquette et *bloomer*, vers 1895. Institut du costume de Kyoto, Kyoto, Japon.**
L'engouement pour le vélo comme loisir féminin entraîne l'adoption de la jupe-culotte ou pantalon court semblable à celui recommandé plus tôt (et si décrié) par Amelia Jenks Bloomer. L'enthousiasme du public de l'époque pour les sports de plein air pousse à la création de vêtements rationnels adaptés.

AUTRES COLLECTIONS
ANGLETERRE Gallery of Costume, Platt Hall, Manchester
AUSTRALIE Powerhouse Museum, Sydney
ÉTATS-UNIS Ohio State University Historic Costume and Textiles Collection, Columbus, Ohio

← **Sir (John) Bernard Partridge, *George Bernard Shaw*, 1894. Aquarelle, National Portrait Gallery, Londres, Angleterre.**
Fort de son succès à la suite de son apologie de la laine comme tissu hygiénique, le Dr Gustav Jaeger donne son accord pour la création d'une compagnie britannique baptisée Dr Jaeger's Sanitary Woollen System Co Ltd. L'entreprise vend un ensemble tunique-pantalon d'une seule pièce qui élimine le besoin de col et de cravate, conformément aux préceptes hygiénistes du docteur. D'autres articles viennent progressivement s'ajouter à la liste, et au tournant du siècle, Jaeger propose des vêtements en laine de première qualité pour hommes et femmes. Parmi ses adeptes les plus connus on retrouve Oscar Wilde et George Bernard Shaw.

bloomer; esthétisme; utilitaire; retour au classique

romantisme; Belle Époque; new-look

Le mouvement Arts and Crafts VCC

Étroitement lié au préraphaélisme, le mouvement Arts and Crafts est fondé sur des préceptes sociaux et esthétiques. De visée utopiste, il prône le retour au savoir-faire des artistes et des artisans d'autrefois pour combattre les effets néfastes de l'industrialisation et de la production en série. Né en Angleterre, le mouvement fait des adeptes dans différents pays et trouve son expression dans les textiles, les arts décoratifs et l'architecture à la fin du XIXe siècle et au début du XXe siècle.

JOHN RUSKIN (1819-1900); **WILLIAM MORRIS** (1834-1896); **CHARLES ROBERT ASHBEE** (1863-1942); **ALEXANDER FISHER** (1864-1936); **JESSIE NEWBERY** (1864-1948); **JOHN PAUL COOPER** (1869-1933); **JOSEF HOFFMANN** (1870-1956); **JESSIE M. KING** (1875-1949)

préraphaélite; art du Moyen Âge; utopie; tradition; savoir-faire; matières naturelles; Limoges

John Ruskin et William Morris sont les pères du mouvement Arts and Crafts. Fortement préoccupés par l'industrialisation rapide et la misère urbaine qu'elle entraîne dans l'Angleterre victorienne, soucieux de lutter contre les articles inesthétiques et bas de gamme issus de la production en série, ils défendent la création de qualité et les techniques traditionnelles. Les partisans du mouvement Arts and Crafts adoptent une mode vestimentaire facilement reconnaissable et conforme à leurs principes : emploi de matières naturelles, formes simples, motifs naturalistes et retour aux traditions. Pour les femmes, les vêtements sont soit faits à la maison, soit fabriqués dans un petit atelier, et s'inspirent de l'art du Moyen Âge et de la Renaissance.

Les habits sont amples et à smocks et d'une simplicité rustique. On peut les superposer pour obtenir une silhouette linéaire « libre ». Les couleurs sont issues de teintures végétales et sont chaudes mais douces. Les ornements sont en broderie. Ce sont généralement des fleurs et d'autres motifs naturalistes. Les robes de style Arts and Crafts sont vendues à Londres au magasin Liberty and Co. De nombreuses maisons de couture parisiennes adoptent les caractéristiques de ce style (sans adhérer à sa philosophie). Pour les hommes, la tenue s'inspire des vêtements généralement portés par les ouvriers. Le mouvement a pour eux de la considération et déplore leur perte de statut dans la société industrialisée, témoignant ainsi du respect pour la tâche noble qu'ils accomplissent dans l'effort de production. Certains hommes préfèrent adopter un style assez proche de celui du mouvement esthétique.

La création et la production de bijoux où la technique et le savoir-faire sont plus importants que les matériaux utilisés sont une des branches principales du mouvement Arts and Crafts. Ceux-ci s'ornent de pierres semi-précieuses (relativement bon marché), d'émaux translucides fabriqués selon une ancienne technique de Limoges et d'argent martelé à la main. Les thèmes s'inspirent de la nature, de la mythologie, des légendes celtiques et de l'art du Moyen Âge et de la Renaissance. Ses bijoutiers les plus connus sont Alexander Fisher, John Paul Cooper et Jessie M. King. Charles Robert Ashbee est une des figures les plus emblématiques du mouvement. Bien que s'intéressant à l'homme ordinaire, l'Arts and Crafts est profondément anachronique. Sa philosophie repose sur des idées romantiques et démodées de gens privilégiés. Les partisans de ce mouvement fabriquent des objets, défendent des idéaux et prônent un style qui sont hors de portée des gens qu'ils cherchent à affranchir (et que cela indiffère, fort probablement).

← **Wiener Werkstätte, robe d'après-midi, 1917.**
Los Angeles County Museum of Art, Los Angeles, Californie, États-Unis.
Bien que né en Angleterre, le mouvement Arts and Crafts a une influence certaine sur les arts décoratifs des États-Unis, du Japon et d'Europe. En 1903, Josef Hoffmann fonde l'atelier viennois Wiener Werkstätte. Il s'inspire du style simple, fonctionnel et de qualité vanté par John Ruskin et William Morris, mais rejette les réformes sociales réclamées par le mouvement anglais. Il s'attache au contraire à élaborer des créations de très belle qualité pour une clientèle sophistiquée. L'atelier qui est au départ spécialisé dans les textiles peints et imprimés à la main évolue après un temps vers la mode. Cette activité prend une importance telle qu'un espace de production lui est exclusivement réservé en 1910. Cette robe en soie est brodée à la main. Elle est créée en 1917 et son style correspond aux nouveaux critères vestimentaires de l'époque et au néoclassicisme à la mode à Paris et à Londres.

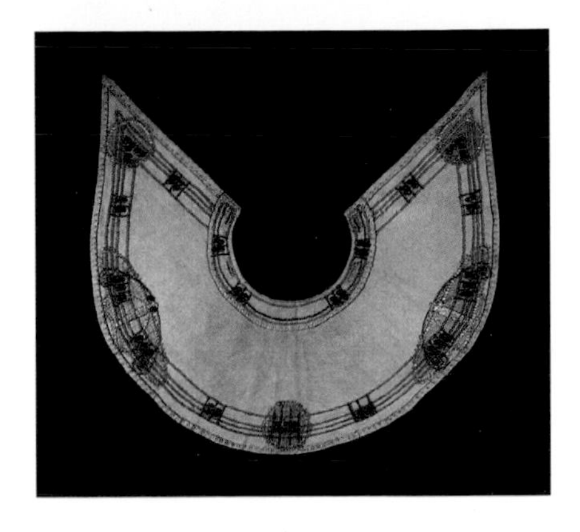

↑ **Jessie Newbery, collier brodé, vers 1900.**
Victoria and Albert Museum, Londres, Angleterre.
Jessie Newbery est un membre fondateur et influent du mouvement Arts and Crafts de Glasgow. Elle emploie des tissus sobres et naturels comme la flanelle. Ses créations sont d'une simplicité presque naïve, bien que d'une superbe qualité, fidèle à ses principes. Elle-même porte des vêtements inspirés des arts folkloriques et de la Renaissance fabriqués entièrement à la main. Ce sont des robes-tuniques superposées.

AUTRES COLLECTIONS
ALLEMAGNE Institut Mathildenhöhe, Darmstadt
ANGLETERRE Birmingham Museum and Art Gallery, Birmingham; The William Morris Gallery, Londres
AUTRICHE Musée autrichien des arts appliqués, Vienne
ÉCOSSE Hunterian Museum and Art Gallery, University of Glasgow; National Museum of Scotland, Édimbourg
ÉTATS-UNIS Museum of Fine Arts, Boston, Massachusetts; National Museum of American History, Smithsonian Institution, Washington DC
FINLANDE Galerie nationale finlandaise, Helsinki; Musée de l'artisanat finlandais, Jyväskylä
HONGRIE Musée des arts appliqués, Budapest; Musée municipal de Gödöllo, Gödöllo
RÉPUBLIQUE TCHÈQUE Musée des arts décoratifs, Prague
SUÈDE Nationalmuseum, Stockholm

 bloomer; esthétisme; rationalisme

 restauration anglaise; production en série; futurisme

LE XXe SIÈCLE

Introduction

Au cours du XXe siècle, la mode subit une transformation radicale et rapide. Ce qui était au début un luxe réservé à une minorité fortunée devient un système relativement démocratique, pluraliste et dynamique tourné vers le grand public.

production en série; modernisme; postmodernisme; démocratisation; mass média; pluralisme

Au cours des premières années du XXe siècle, la mode évolue pratiquement de la même façon que pendant tout le XIXe siècle. Les structures sociales rigides la confinent à l'aristocratie. Paris et la haute couture en définissent les termes. Les vêtements ne sont toujours pas fabriqués sur une échelle qui les rendrait disponibles et accessibles au plus grand nombre.

C'est la Première Guerre mondiale et ses conséquences désastreuses qui marquent une véritable rupture entre les époques. Dans la société traumatisée, la nostalgie n'a plus court et on se tourne vers le modernisme et le progrès.

La mécanisation totale de l'industrie de l'habillement commence à se mettre en place après la guerre. Pendant le conflit, les usines de confection et de textiles sont obligées d'investir dans les machines nécessaires à la fabrication d'uniformes militaires standardisés. C'est ainsi que les consommateurs d'après-guerre bénéficient d'une industrie plus évoluée et efficace, capable de fabriquer des vêtements prêts-à-porter à des prix abordables. La Seconde Guerre mondiale entraîne l'amélioration de la qualité des vêtements fabriqués en série avec la mise en place en Angleterre du plan *Utility Clothing Scheme*. Cette politique permet à l'industrie du vêtement et au grand public de profiter de produits de meilleure qualité à des prix plus attractifs et dans des tailles standard.

Les années 1960 inaugurent l'ère des modes éphémères et vers la fin du XXe siècle, pratiquement tous les styles sont fabriqués à un rythme rapide et pour le plus grand nombre de consommateurs. Les vêtements sont désormais disponibles dans d'innombrables magasins, dans différentes gammes de prix et dans de multiples styles.

Le XXe siècle est également l'ère des mass média et de la communication. Le nombre et le type de magazines de mode s'accroissent et les illustrations laissent la place aux photographies. Leur impact est énorme et ceux-ci permettent à tout un chacun de découvrir le monde restreint de la mode parisienne et londonienne. Grâce à eux, le délai se réduit entre le lancement des styles par les maisons de couture et leur apparition sur le marché grand public. Le cinéma exerce une grande influence sur la mode à partir des années 1930. Les costumes, les coiffures et les maquillages portés par les vedettes hollywoodiennes sont largement diffusés et les studios mettent rapidement en place un système pour tirer avantage de la fascination du public pour les stars.

Les mass média continuent à évoluer tout au long du XXe siècle. La mode n'est plus

→ **Cecil Beaton, *Twiggy*, 1967.**
The Cecil Beaton Studio Archive, Sotheby's, Londres, Angleterre.
Twiggy (Lesley Hornby), mannequin du quartier est de Londres, symbolise la mode des années 1960, libérée, dynamique et résolument tournée vers la jeunesse. Elle devient célèbre en 1966 à l'âge de 16 ans alors qu'elle est déclarée « visage de l'année » par le quotidien Daily Express.

diffusée verticalement à la population par une puissante élite. Les magazines, les programmes de télévision et les sites Internet s'adressent à tous les secteurs de la société et sont dirigés par des gens de ces différents milieux.

Les sous-cultures, que la population découvre avec inquiétude dans les années 1950 avec l'apparition des Teddy boys en Angleterre, se manifestent à plusieurs reprises au cours de la deuxième moitié du xxe siècle. Elles sont à la fois une alternative et une inspiration pour la mode dominante. À la fin du xxe siècle, la mode atteint le public sans passer obligatoirement par les classes supérieures.

Après les années 1960 et le succès universel de la minijupe, aucun style particulier ne domine les autres. La mode commence alors à montrer les effets du postmodernisme et devient éphémère, hétérogène et démocratique. C'est un mélange de haut et de bas en termes de niveau culturel. Il n'y a plus une mode unique, mais plusieurs.

Bien que Paris domine toujours la scène mondiale au cours du xxe siècle, sa position en tant qu'arbitre incontesté est menacée par les nouvelles capitales de la mode que sont New York, Londres et Milan.

Depuis les années 1950, la mode newyorkaise est synonyme de lignes simples sans prétention et fonctionnelles. Dans les années 1970, Milan s'établit comme une alternative à l'hégémonie parisienne. La ville s'appuie sur son infrastructure commerciale sophistiquée et sur le renouveau de l'industrie textile italienne. Elle devient une capitale de la mode où Krizia et Missoni font figure de pionniers. La ville de Londres, célébrée depuis des siècles pour l'excellence de sa façon tailleur, se fait connaître pour sa mode jeune et irrévérencieuse dans les années 1960. À la fin du xxe siècle, elle est reconnue comme le centre de la mode expérimentale et audacieuse.

Bien que de multiples créateurs et tendances se soient succédé entre 1900 et 1999, certaines figures marquantes se détachent. Parmi les personnes qui ont eu le plus grand impact sur la mode du xxe siècle, on retrouve Paul Poiret, Madeleine Vionnet, Elsa Schiaparelli, Gabrielle « Coco » Chanel, Cristobal Balenciaga, Christian Dior, Mary Quant, Yves Saint Laurent, Vivienne Westwood, Giorgio Armani et Martin Margiela.

← **Elsa Schiaparelli, robe du soir en tissu imprimé dessiné par Salvador Dalí, Philadelphia Museum of Art, Philadelphie, Pennsylvanie, années 1930.** La collaboration entre Elsa Schiaparelli et Salvador Dalí est un des meilleurs exemples de collaboration entre un créateur de mode et un artiste. Le tissu de la robe a été dessiné par Dalí. C'est un trompe-l'œil de fragments de peau de bête sur crêpe de soie inspiré de son œuvre *Trois jeunes femmes surréalistes tenant les peaux d'un orchestre* de 1936.

COLLECTIONS CLÉS

ANGLETERRE Fashion Museum, Bath; Museum of London, Londres; Victoria and Albert Museum, Londres
AUSTRALIE National Gallery of Victoria, Melbourne, Victoria; Powerhouse Museum, Sydney
AUTRICHE Modesammlung des Historischen Museums, Vienne
BELGIQUE Mode Museum, Anvers
CANADA Costume Museum of Canada, Winnipeg
FRANCE Musée de la Mode et du Costume de la Ville de Paris, Palais Galliéra, Paris; Musée de la Mode et du Textile, Louvre, Paris
IRLANDE DU NORD Ulster Museum, Belfast
ITALIE Galleria del Costume, Palazzo Pitti, Florence
JAPON Musée de la mode de Kobe, Kobe; Institut du costume de Kyoto, Kyoto

Le style Belle Époque

La Belle Époque (1895-1914) est une période prospère pour les classes supérieures qui adoptent des vêtements et un style de vie ostentatoires. Les femmes portent de somptueux habits romantiques et leur silhouette, maintenue par un corset, prend la forme d'un « S ». Mais la Première Guerre mondiale va balayer ces modes peu pratiques et élitistes et introduire le modernisme.

ALEXANDRA (REINE D'ANGLETERRE) (1824-1925); **ÉDOUARD VII** (1841-1910); **LADY LUCY DUFF GORDON** (1863-1935); **CHARLES DANA GIBSON** (1867-1944)

opulence; décolleté pigeonnant; silhouette en « S »; froufrou; Gibson Girl

La période 1895-1914, communément appelée la « Belle Époque » en France, est marquée par la beauté et l'opulence. Bien que faisant partie des courants de mode du XXe siècle, le style est résolument nostalgique et peut être perçu comme le chant du cygne des classes supérieures désœuvrées.

Se distinguant de la mode victorienne par une taille relativement étroite et une stature plus imposante, la femme édouardienne adopte de nouvelles formes qui projettent la poitrine en avant (décolleté pigeonnant) tout en accentuant la chute des reins, ce qui donne ainsi à son corps la forme d'un « S ». Cette silhouette est obtenue grâce au corset « droit devant » qui réduit la pression sur le diaphragme et suit le contour de la silhouette féminine. Le résultat est une contorsion raide et antinaturelle du corps.

Au-dessus de ce corset, les vêtements sont d'une fluidité particulièrement romantique. La jupe cloche descend en cascade à partir de hanches étroites. La mousseline de soie, le crêpe de Chine et le tulle sont les tissus à la mode. Les couleurs sont claires, oniriques et généralement de ton pastel. Les ornements de fronces, plumes, broderies et dentelles sont utilisés en abondance pour créer un effet de froufrou. Les créations parisiennes de Charles Frederick Worth, Callot Sœurs, Jeanne Paquin et Jacques Doucet en sont de parfaits exemples. Cependant, Londres commence à s'établir comme un centre important et reconnu de la mode, sous le haut patronage de l'influente reine Alexandra, l'épouse d'Édouard VII.

La maison de couture Lucile, de Lady Lucy Duff Gordon, est une des plus importantes du Londres de l'époque édouardienne.

Du côté des hommes, leurs tenues plutôt sobres donnent aux femmes l'occasion de se distinguer. Pour les grandes occasions, le chapeau haut de forme et la redingote sont de rigueur. Toutefois le costume de ville commence à s'imposer. Le pantalon est plus étroit et plus court. Les chapeaux, surtout le canotier et le feutre mou, sont en vogue. Le col est haut et enveloppant, rappelant la mode féminine des collets baleinés en dentelle.

Ces vêtements, coûteux et peu pratiques, reflètent la fortune et le statut social et sont l'apanage des classes supérieures (aristocratie et bourgeoisie confondues). Pourtant, de nouvelles modes sont à la portée des femmes aux revenus modestes qui peuvent profiter du formidable développement du marché du prêt-à-porter. Le vêtement sur mesure, devenu à la mode en Angleterre dans les années 1890, est adopté par les classes moyennes. C'est le seul signe de modernisme de cette époque nostalgique.

AUTRES COLLECTIONS
AFRIQUE DU SUD Bernberg Museum of Costume, Johannesbourg
ÉTATS-UNIS Arizona Costume Museum, Phoenix Art Museum, Phœnix, Arizona; The Costume Institute, Metropolitan Museum of Art, New York; Los Angeles County Museum of Art, Los Angeles, Californie
FRANCE Musée de la Mode et du Textile, Louvre, Paris
ITALIE Galleria del Costume, Palazzo Pitti, Florence
JAPON Institut du costume de Kyoto, Kyoto

Robe de voyage constituée d'un corsage et d'une jupe, 1905.
Victoria and Albert Museum, Londres, Angleterre.
Le chapeau fait partie intégrante de la tenue édouardienne. Plus large et encombrant, il est parfois orné de plumes, de fleurs ou de fruits. La coiffure est souvent complétée de postiches et de rembourrages autour desquels viennent s'enrouler les mèches.

Charles Dana Gibson, *Scribners for June*, esquisse, vers 1898.
La *Gibson Girl* est un personnage créé par l'illustrateur américain Charles Dana Gibson qui incarne la mode, la beauté et la célébrité en ce début du XXe siècle. Sa représentation de la « nouvelle femme », belle, intelligente et dynamique, lance la mode de la haute silhouette à taille fine vêtue d'un chemisier à haut col et d'une jaquette tailleur à panneaux.

dandysme; début de la haute couture, new-look

production en série; moderne; boutiques anglaises; avant-gardisme japonais

Le style Directoire

Vers la fin des années 1910, alors que la Belle Époque est sur le point de se terminer, la silhouette de la femme se fait plus légère. La forme contraignante et artificielle en « S », résultant du port du corset « droit devant », laisse la place à un style plus linéaire qui remet au goût du jour la mode Empire des années 1800 à 1814 et ses vêtements inspirés de l'Antiquité gréco- romaine.

MADAME RÉCAMIER (1777-1849); **JACQUES DOUCET** (1853-1929); **JEANNE PAQUIN** (1869-1936); **PAUL POIRET** (1879-1944); **PAUL IRIBE** (1883-1935)

napoléonien; taille haute; Callot Sœurs; robe d'après-midi

Le style Directoire, parfois appelé Madame Récamier (du nom de la célèbre beauté et icône de la mode de l'ère napoléonienne), fait remonter la ceinture juste au-dessous du buste d'où partent verticalement vers le sol les tissus souples et doux. Le changement est non seulement esthétique, mais aussi libérateur, après la silhouette corsetée en « S » des femmes de la Belle Époque. Celles-ci peuvent ainsi jouir pour la première fois d'un certain confort en société.

Jeanne Paquin, les sœurs Callot, la maison Worth, Gustav Beer et Jacques Doucet répondent aux exigences de cette nouvelle mode. Mais c'est Paul Poiret qui revendique, non sans exagération, la gloire d'avoir libéré la femme de la tyrannie du corset. Bien que le style Directoire mette l'accent sur le buste au lieu de la taille, le corset est toujours en usage, même s'il s'est quelque peu modifié. Les femmes ne se sont donc pas entièrement débarrassées de leurs sous-vêtements contraignants et portent de nouveaux corsets en forme de tube. Le style Directoire est surtout employé pour les robes du soir et d'après-midi. Ces dernières, qui sont en vogue depuis les années 1870, étaient portées au départ par les dames de la société qui recevaient leurs invités chez elles pour le thé et qui profitaient de quelques heures de répit sans corset.

Plusieurs facteurs contribuent au retour de la silhouette Empire. La mode remet régulièrement au goût du jour les styles du passé, le nombre de permutations possibles étant limité tant pour le créateur que pour le consommateur en mal de changement. Cependant, il est intéressant de constater que la mode Directoire coïncide avec le rejet des tenues féminines contraignantes et délétères prôné par les réformateurs vestimentaires. Pour Poiret, qui collectionne les vêtements et les textiles d'Orient, ses créations tiennent probablement davantage de son interprétation de la tunique grecque (le chiton) et des costumes orientaux que d'un acte conscient en faveur de l'émancipation féminine.

← **Paul Iribe, illustration de robes de Paul Poiret, 1908.**
Victoria and Albert Museum, Londres, Angleterre.
Tout au long de sa carrière, Paul Poiret travaille étroitement avec des illustrateurs et des artistes. Ces images de Paul Iribe sont une commande pour la réalisation du catalogue de 1908 des créations de Paul Poiret intitulé *Les Robes de Paul Poiret racontée par Paul Iribe*. Iribe utilise la technique du pochoir, colorant à la main des formes délimitées en noir. Ses belles illustrations aux couleurs vives sont presque abstraites et incarnent parfaitement le style Directoire des robes de Poiret. Ce catalogue, d'un style très nouveau, a un tel impact, qu'il redéfinit les canons de l'illustration de mode et assurent à Iribe une grande notoriété.

→ **Callot Sœurs, robe du soir, 1909.**
Drexel Historic Costume Collection, Drexel University, Philadelphie, Pennsylvanie, États-Unis.
Callot Sœurs est une maison de couture française fondée, comme son nom l'indique, par les sœurs Callot, Régina, Marie, Marthe et Josephine en 1895. Réputée pour ses robes élégantes ornées de détails exotiques, elle est fréquentée par les femmes de la haute société. Elle est également une source d'inspiration pour les autres couturiers. C'est dans cette maison que Madeleine Vionnet, une des créatrices les plus vénérées du XXe siècle, fait son apprentissage. Elle dit en parlant des sœurs Callot : « Grâce à elles, j'ai pu faire des Rolls-Royce, sans elles, j'aurais fait des Ford. »

AUTRES COLLECTIONS
ANGLETERRE Brighton Museum and Art Gallery, Brighton
AUTRICHE Modesammlung de Historischen Museums, Vienne
BELGIQUE Mode Museum, Anvers
ÉTATS-UNIS The Museum at the Fashion Institute of Technology, New York
FRANCE Musée de la Mode et du Textile, Louvre, Paris

néoclassicisme; esthétisme; Arts and Crafts; orientalisme

romantisme; déconstructionnisme; football casual

L'orientalisme

Pris dans son sens le plus large, l'orientalisme est la représentation imaginaire et l'adoption par les occidentaux de styles provenant d'un Proche, Moyen et Extrême-Orient largement mythifié. Il a une influence notable sur la mode pendant la période qui précède la Première Guerre mondiale.

LÉON BAKST (1866-1924); **MARIANO FORTUNY** (1871-1949); **SERGE DE DIAGHILEV** (1872-1929); **RAOUL DUFY** (1877-1953); **PAUL POIRET** (1879-1944)

fauvisme; exotisme; Ballets russes; couleurs vives; silhouette mince; Mille et Deuxième Nuit

S'inscrivant dans le cadre d'une tendance culturelle plus vaste, l'orientalisme influence de façon marquante la mode parisienne dans les années qui précèdent la Première Guerre mondiale. Celle-ci se caractérise par l'emploi de tons vifs d'orange, de violet, de noir et de vert jade, d'imprimés audacieux et de broderies orientales sur une silhouette plutôt mince, offrant ainsi un contraste saisissant avec les tenues à froufrou portées par les femmes de la Belle Époque.

Le style apparaît tout d'abord dans les arts. L'exposition à Paris des peintres «fauves» qui utilisent des couleurs violentes et à contre-emploi déclenche un intérêt pour l'exotisme. Toutefois, le catalyseur qui va transformer ce nouvel attrait en un véritable engouement est la production en 1910 de *Schéhérazade* par les Ballets russes de Diaghilev. Le décor et les costumes, créés par Léon Bakst, transforment le ballet classique en une explosion de couleurs et de rythmes. Les couleurs étourdissantes des décors et des costumes exercent une influence énorme sur la mode.

Le couturier Paul Poiret est au cœur de ce courant, au point qu'on le surnomme le «sultan de la mode parisienne».

Bien que Poiret, grand collectionneur de textiles propres à d'autres cultures, déclare avoir devancé Bakst, il est indéniable que le succès des Ballets russes cristallise sa vision orientaliste. Il crée des pantalons «de harem» et ses mannequins portent des turbans aux couleurs flamboyantes garnis de plumes exotiques et de multiples ornements. Les tissus somptueux sont importés d'Orient. Poiret remet au goût du jour l'emploi de textiles byzantins luxueux et demande au peintre Raoul Dufy de les concevoir. Il lance une silhouette linéaire un peu tubulaire dérivant du kimono japonais, du chiton grec et du caftan oriental et organise des bals costumés extravagants où il met en scène des défilés pour promouvoir ses créations. Le plus célèbre est le «Mille et Deuxième Nuit» où Paul Poiret se déguise en sultan, son épouse Denise Boulet, muse et mannequin, en favorite et les autres invités en tenue orientale sophistiquée de rigueur.

Poiret n'est pas le seul couturier à créer des collections orientalistes. Les sœurs Callot et Mariano Fortuny travaillent également sur le même thème.

Même si Poiret se dit artiste, il est aussi, comme tous les grands couturiers, un homme d'affaires avisé qui sait organiser sa propre publicité. Invité par des magasins de grand renom à visiter l'Amérique du Nord en 1913, il en profite pour diffuser les styles orientaux désormais associés à son nom et à celui de Paris.

Les créations linéaires de Poiret annoncent le style «garçonne» représentatif du modernisme et apprécié par Gabrielle Chanel. Toutefois, celle-ci refusera de reconnaître l'influence de Poiret sur ce style. Après la guerre, le couturier ne fait aucun effort pour modérer son goût pour l'exotisme ou pour rejoindre le courant moderniste et son influence commence à diminuer.

← **Paul Poiret, robe du soir «Sorbet», 1912. Victoria and Albert Museum, Londres, Angleterre.**
La tenue de soirée «Sorbet», d'inspiration persane, dérive de la robe «minaret» ou tunique «abat-jour» portée par Denise Boulet, mannequin et épouse de Poiret, pour le célèbre bal costumé «Mille et Deuxième Nuit». La tunique est armée de façon à former un minicerceau sur une longue jupe droite. Les roses perlées sont un motif récurrent des créations de Poiret.

→ **Mariano Fortuny, robe de soie plissée «Delphos», 1905-1920. Museo del Traje, Madrid, Espagne.**
Bien que Paul Poiret prétende à tort avoir libéré les femmes du corset, d'autres créateurs tentent également d'alléger la silhouette féminine. Mariano Fortuny, artiste et couturier autodidacte, crée la robe révolutionnaire «Delphos» en 1907 dont il dépose le brevet en 1909 et qu'il continue à produire sous différentes versions jusqu'à sa mort en 1949. S'inspirant de la tunique grecque (le chiton), «Delphos» est une robe de soie aux plis délicats qui semblent envelopper le corps de façon naturelle en tombant depuis les épaules. Des perles en verre de Venise donnent du poids à l'ourlet tout en apportant une touche décorative. La méthode de plissage originale de Fortuny n'a jamais pu être imitée au point qu'on l'accusait de faire appel à la magie pour la réaliser.

AUTRES COLLECTIONS

ALLEMAGNE Museum für Kunst und Gewerbe, Hambourg
CHILI Museo de la Moda, Santiago du Chili
FRANCE Musée de la Mode et du Costume de la Ville de Paris, Palais Galliéra, Paris
ITALIE Fortuny Museum, Museo Civice di Venezia, Venise
JAPON Institut du costume de Kyoto, Kyoto

esthétisme; rationalisme; Directoire; ethnique

moderne; utilitaire; futurisme

La production en série

La révolution industrielle avait, dès 1890, fourni les moyens rudimentaires pour produire, distribuer et vendre au détail la mode à grande échelle, ainsi que rendre le prêt-à-porter accessible aux femmes de la classe moyenne et aux employées. Il faut attendre la fin de la Première Guerre mondiale pour que le marché du vêtement de confection prenne son envol.

LOU RITTER (INDISPONIBLE);
OLIVE O'NEILL (INDISPONIBLE);
FREDERICK STARKE (1904-1988)

prêt-à-porter; Dereta; Windsmoor; Dorville; marché grand public; copie; exploitation ouvrière; rayonne

Au cours de la Première Guerre mondiale, les usines et petits ateliers de confection sont réquisitionnés afin de produire des uniformes standardisés pour les militaires. À cette occasion, ils investissent dans de nouvelles technologies, améliorent leur mode de fonctionnement et augmentent leur capacité de production. Après la guerre, l'industrie de la confection se renforce, elle est en mesure de fournir des vêtements de prêt-à-porter de qualité et à des prix abordables.

À l'époque, le marché est en mesure d'accueillir ces changements. Le coût de la vie a baissé, le nombre de salariés a augmenté et les femmes jouissent de nouvelles libertés (en apparence du moins) dans leur travail et leurs loisirs. La presse féminine consacrée à la santé, à la beauté et à la mode est en plein essor et stimule des envies de styles nouveaux et abordables. L'industrie de la confection modernisée est à même de répondre à ces attentes et de fournir du prêt-à-porter à la mode pour les différents créneaux du marché. Certains couturiers spécialisés dans le sur-mesure et le cousu main se diversifient et proposent du prêt-à-porter. Les femmes de la bourgeoisie trouvent ce qu'elles recherchent dans les rayons des grands magasins et chez les nouvelles boutiques de «vente en gros», comme Dereta, Windsmoor et Dorville en Angleterre. Les chaînes haut de gamme de type Marks and Spencer fournissent du prêt-à-porter venant directement du fabricant à des prix accessibles.

Les vêtements à la mode sont à présent disponibles dans toutes sortes de magasins et dans différentes gammes de prix. Pourtant, Paris continue à dicter la mode. Les styles créés par les maisons de couture se répandent rapidement dans le marché grand public.

Les grands magasins et les grossistes réputés achètent des prototypes de vêtements, ou toiles, directement auprès des maisons de couture dans le but de les reproduire. D'autres emploient des gens hautement qualifiés qui assistent aux défilés et mémorisent les modèles qu'ils dessinent ensuite afin de les copier. Par ailleurs, les journaux spécialisés se développent.

La production en usine de vêtements de confection ne met pas fin aux salaires anormalement bas, à l'exploitation des ouvriers, ou au maintien des couturières à domicile. Pour la grande majorité des femmes, le prêt-à-porter est bien trop cher. Toutefois, le prix des machines à coudre baisse, les patrons de vêtements sont largement diffusés et les nouvelles modes peuvent être facilement copiées. C'est pourquoi ce qui était au début du siècle le privilège de quelques-unes devient un plaisir à la portée de presque toutes les bourses.

← **Hodson Shop Collection, robe en rayonne, 1946. Walsall Museum, Walsall, Angleterre.**
Au XIXe siècle, on commence à rechercher des matières artificielles susceptibles de remplacer les fibres naturelles qui sont chères, demandent beaucoup de main-d'œuvre et n'existent qu'en quantités limitées. Toutefois, c'est après la Première Guerre mondiale qu'on assiste aux premières découvertes. La rayonne, fabriquée à partir de cellulose de bois traitée chimiquement pour produire ce qu'on appelle du fil de soie artificielle, révolutionne le marché de la mode grand public. On estime qu'en 1938, 10 % de la production de vêtements utilise des fibres synthétiques. De ce fait, les classes moyennes ont davantage de choix vestimentaire.

← **Hodson Shop Collection, robe, 1927 Walsall Museum, Walsall, Angleterre.**
La démocratisation et la fabrication en série des modes parisiennes sont stimulées par le style garçonne (caractérisé par des lignes simples, des tissus souples et un minimum d'ornements) qui peut être facilement copié. Les vêtements de la Belle Époque extrêmement élaborés, ornés et pleins de froufrous étaient trop compliqués à imiter.

AUTRES COLLECTIONS

ANGLETERRE Fashion Museum, Bath; Gallery of Costume, Platt Hall, Manchester; Worthing Museum and Art Gallery, Worthing; York Castle Museum, York
ÉCOSSE National Museum of Costume, Shambellie House, Dumfries and Galloway
ÉTATS-UNIS The Costume Institute, Metropolitan Museum of Art, New York; Museum of the City of New York, New York; Museum of Art, Rhode Island School of Design, Providence, Rhode Island

industrie de l'habillement; utilitaire; mondialisation

baroque; débuts de la haute couture; new-look

Le style moderne

Après la Première Guerre mondiale, le style moderne domine la mode des années 1920. Il se caractérise par des lignes simples et nettes, une silhouette androgyne et une absence d'ornements inutiles. Le mouvement moderniste vise un confort accru et rejette toute contrainte artificielle. En 1929, celui-ci est en perte de vitesse. Toutefois, ses principes ont une grande influence sur de nombreuses modes du xxe et xxie siècles.

JEAN PATOU (1880-1936); **GABRIELLE «COCO» CHANEL** (1883-1971); **SONIA DELAUNAY** (1885-1979); **CLAIRE MCCARDELL** (1905-1958)

garçonne; chapeau cloche; chemise; sportswear; géométrique; «genre pauvre»; utopie

Le style moderne recouvre plusieurs mouvements du début du xxe siècle qui rejettent ce qui a existé avant eux. La mode devient l'une des expressions du courant moderniste. Elle adhère à ses principes après la Première Guerre mondiale. Sobre et linéaire, elle est l'antithèse des vêtements inconfortables de la Belle Époque. Ce nouveau style androgyne est appelé «garçonne». Il domine la mode jusqu'en 1929. La jupe est raccourcie et arrive, à son niveau le plus court, juste au-dessous du genou en 1926. La ceinture descend vers les hanches, les cheveux se coupent au carré, ils sont à vagues crantées ou très courts. Le chapeau cloche dépourvu de bord, très en vogue, se porte bien enfoncé sur la tête. La robe-chemise, portée aussi bien le jour que le soir, tombe des épaules en façonnant une silhouette droite, quelque peu tubulaire. Par ailleurs, on emploie de nouveaux tissus fluides et confortables dans des tons neutres de bleu marine, de noir, de beige et de gris. Le maquillage est très à la mode et s'utilise pour tempérer le côté androgyne et accentuer la féminité. Les créations de Coco Chanel et de Jean Patou sont représentatifs de cette époque. Le sportswear et les formes géométriques de Patou sont typiques du courant moderniste. Toutefois, c'est l'influence de Coco Chanel qui va marquer la mode, et pour longtemps. C'est elle qui crée la célèbre «petite robe noire», mélange de simplicité et d'élégance. Ses créations sobres, dépourvues d'ornements, aux couleurs neutres et aux formes simples sont qualifiées de «genre pauvre».

Conforme à l'esprit moderniste, l'apparition de la rayonne et de formes plus simples accélère la diffusion des styles de vêtements. Les modes des maisons de couture sont adoptées sans tarder par le marché grand public grâce aux ateliers de copie et aux patrons en papier.

L'utopie du courant moderniste et le style garçonne, influencé par les vêtements de sport, suggèrent la libération du corps. La nouvelle mode impose un idéal féminin complètement différent. Les femmes doivent être minces et jeunes, avoir une poitrine plate et des hanches étroites. Les corsets sont remplacés par des gaines renforcées et il est vivement conseillé de se mettre à la diète pour afficher la minceur à la mode. Pilules, potions, programmes éphémères d'exercices intensifs et régimes stricts sont conseillés pour aider les femmes à devenir et à rester minces comme un fil.
Le courant moderniste décline en 1929, mais en tant que philosophie vestimentaire, il continue à influencer les couturiers du XXe et du XXIe siècles. Au cours des années 1930, 1940 et 1950, la créatrice américaine Claire McCardell, en particulier, avec ses lignes inspirées de vêtements de sport (y compris les jambières et les ballerines devenues tenues de ville) pousse les femmes vers la liberté et le confort qu'elles connaissent aujourd'hui.

← **Gabrielle « Coco » Chanel, tenue de ville, vers 1928. Institut du costume de Kyoto, Kyoto, Japon.**
L'ensemble cardigan, pull et jupe est devenu un classique qui symbolise encore aujourd'hui le style Chanel. Cet exemple en crêpe de laine noire est montré ici avec un jersey en laine blanc. Chanel aime particulièrement la fluidité du jersey qui était auparavant réservé aux sous-vêtements et sa maison devient associée à cette matière. Elle va même ouvrir une usine consacrée à sa production.

← **Gabrielle « Coco » Chanel, ensemble de soirée, 1925. The Costume Institute, Metropolitan Museum of Art, New York, États-Unis.**
Même si ce n'est pas elle qui l'invente (ni aucun autre couturier en particulier), Chanel se présente comme la créatrice de l'élégante « petite robe noire ». Sa contribution est néanmoins reconnue lorsque le magazine *Vogue*, dans son numéro d'octobre 1926, compare le style Chanel à la simplicité, la fonctionnalité et la popularité exemplaires du Model T de Ford. La petite robe noire est le « vêtement que tout le monde va porter ».

AUTRES COLLECTIONS
ANGLETERRE Fashion Museum, Bath; Victoria and Albert Museum, Londres
AUTRICHE Wien Museum, Vienne
ÉTATS-UNIS Los Angeles County Museum of Art, Los Angeles, Californie

utilitaire; minimalisme; retour au classique

rococo; Belle Époque; néovictorien; new-look

Le style hollywoodien

Hollywood a une influence majeure sur les modes des années 1930. Les costumes font partie intégrante du succès d'un film et des sommes considérables sont dépensées pour les garde-robes des vedettes féminines. Le style hollywoodien est protéiforme, allant de l'image détachée, sensuelle et glamour de Greta Garbo et Jean Harlow à l'allure plus sportive et décontractée de Katharine Hepburn.

SAMUEL GOLDWYN (1882-1974); **TRAVIS BANTON** (1894-1958); **ORRY-KELLY** (1897-1964); **EDITH HEAD** (1897-1981); **GILBERT ADRIAN** (1903-1959)

costume de cinéma; opérations commerciales; Letty Lynton

Hollywood a une grande influence sur les modes, les coiffures et le maquillage des années 1930. Le succès d'un film dépend en partie des costumes et selon Samuel Goldwyn, les femmes vont au cinéma autant pour voir le film que les stars et leurs tenues dernier cri. Au départ, le cinéma se tourne vers la mode parisienne pour ses choix de costumes.

L'inconvénient du caractère éphémère de la mode, c'est qu'un film peut paraître dépassé dès sa sortie. Hollywood n'avait par exemple pas prévu le rallongement brutal de la jupe à la fin des années 1920 et ne veut plus être pris au dépourvu. Bien que certaines maisons de couture parisiennes (notamment Elsa Schiaparelli) établissent des liens étroits avec les studios de cinéma, Hollywood décide de développer son propre style et forme ses créateurs de costumes qui deviennent des leaders de la mode à part entière.

Travis Banton et Edith Head de la Paramount, Orry-Kelly de la Warner Brothers et Gilbert Adrian de la MGM sont les plus connus. Les relations entre Hollywood et l'industrie de la mode sont loin d'être informelles.

Une structure commerciale est rapidement montée pour tirer avantage de la fascination du public pour les costumes de cinéma. Des opérations commerciales sont régulièrement organisées par les studios pour promouvoir des patrons en papier ou des vêtements prêts-à-porter des tenues les plus en vue. Des magazines populaires tels que *Women's Filmfair et Film Fashionland* expliquent comment imiter les actrices.

La robe de l'époque qui fait le plus parler d'elle est la « Letty Lynton » portée par Joan Crawford dans le film du même nom de 1932. Créée par Adrian, elle est en organdi de coton avec des manches très bouffantes qui vont contribuer à l'adoption des épaulettes déjà employées par Schiaparelli dans ses collections. Le succès de la robe est tel que le grand magasin new-yorkais Macy's en vend un demi-million d'exemplaires.

L'influence d'Hollywood en matière de mode vestimentaire n'est pas limitée aux femmes. Les hommes aussi s'intéressent au style des vêtements portés par les vedettes masculines. Cary Grant, Gary Cooper, Edward G. Robinson et Ronald Colman adoptent le style du sur-mesure anglais et des tenues sport. Fred Astaire lance quant à lui la mode des souliers à deux tons.

Les personnes qui n'ont pas les moyens d'acheter ou de fabriquer les tenues se rabattent sur les styles de coiffure et de maquillage pour imiter leurs stars préférées. La coupe au carré de Greta Garbo et les sourcils arqués de Marlene Dietrich sont largement copiés et le blond platine de Jean Harlow fait augmenter les ventes d'eau oxygénée. Max Factor, le fabricant de perruques et esthéticien employé par les studios, profite du développement de l'industrie des produits de beauté pour lancer sa propre gamme de cosmétiques.

Le cinéma continue à influencer la création et le marketing de la mode encore aujourd'hui. Les bérets de Faye Dunaway dans *Bonnie and Clyde* (1967), la garde-robe de Diane Keaton signée par Ralph Lauren dans *Annie Hall* (1977) et le vernis à ongles « Rouge Noir » de Chanel porté par Uma Thurman dans *Pulp Fiction* (1994) ont tous lancé la mode de ces produits.

← **Robe Busvine, vers 1936. Victoria and Albert Museum, Londres, Angleterre.**
L'influence d'Hollywood sur les styles vestimentaires des années 1930 est énorme. Les imitations de peaux d'animaux et les modes africaines sont inspirées par des films comme *Tarzan* qui décrivent l'Afrique de façon fantaisiste.

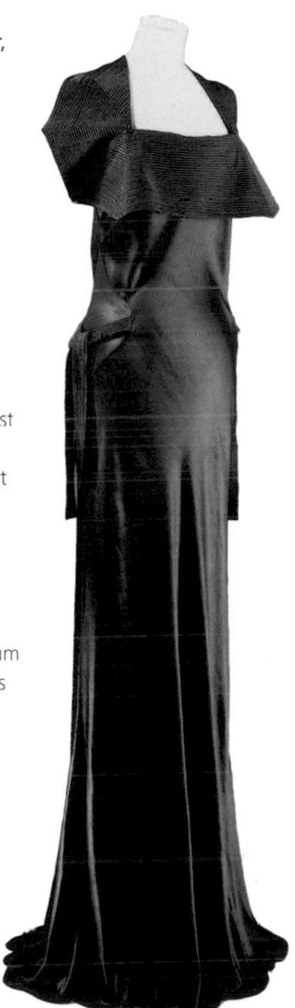

→ **Jeanne Lanvin, robe du soir, 1935. Victoria and Albert Museum, Londres, Angleterre.**
Le satin est un des tissus de prédilection des créateurs de costumes d'Hollywood des années 1920 et 1930. Dans les films muets des années 1920, le satin joue avec la lumière et donne un certain chic. Dans les films parlants des années 1930, il est apprécié pour sa beauté et sa texture qui ne fait pas de bruit lorsque l'actrice se déplace.

AUTRES COLLECTIONS
ÉTATS-UNIS The Costume Institute, Metropolitan Museum of Art, New York; Los Angeles County Museum of Art, Los Angeles, Californie

néovictorien; consommation et célébrités;

préraphaélisme, existentialisme; déconstructionnisme

Le surréalisme

Les échanges entre la mode et le mouvement surréaliste (fondé en 1924) sont fructueux. Les deux partagent un même goût pour l'imaginaire et le détournement d'objets culturels qui se manifeste à la fin des années 1930 dans les présentations en vitrines, les photographies de mode et la publicité. Elsa Schiaparelli est l'une des rares créatrices de mode à s'engager auprès des surréalistes et à collaborer avec des artistes en vue comme Salvador Dalí et Jean Cocteau.

JEAN COCTEAU (1889-1963); **ELSA SCHIAPARELLI** (1890-1973); **ANDRÉ BRETON** (1896-1966); **SALVADOR DALÍ** (1904-1989); **JEAN-CHARLES DE CASTELBAJAC** (1949-); **FRANCO MOSCHINO** (1950-1994)

l'inconscient; juxtaposition; détournement; trompe-l'œil

Le surréalisme est un mouvement artistique contestataire et expérimental qui cherche à définir autrement la réalité. Il est fondé en octobre 1924 à Paris par André Breton qui publie le *Manifeste du surréalisme*, critique du rationalisme et du matérialisme excessifs de la société occidentale. Influencés par la psychanalyse de Freud, les surréalistes s'efforcent de montrer les possibilités créatives de l'inconscient en juxtaposant des images issues du réel et de l'imaginaire qui déconcertent.

Le surréalisme et la mode partagent un même goût pour le rêve. Les surréalistes sont fascinés par tous les objets liés à l'industrie de la mode (notamment les mannequins). Ils utilisent les vêtements pour représenter le seuil entre le conscient et l'inconscient. De son côté, l'industrie de la mode exploite à la fin des années 1930 le principe du détournement d'objet utilisé par les surréalistes (placement d'un élément ou d'une image hors de son contexte habituel), notamment dans les présentations en vitrines, les photographies de mode et la publicité.

Bien que l'influence du surréalisme se fait sentir sur la mode, elle ne transparaît pas de façon visible dans les œuvres de la majorité des couturiers, à l'exception des créations d'Elsa Schiaparelli. Le surréalisme marque profondément toute sa carrière et celle-ci collabore sans hésiter avec des artistes surréalistes réputés. Elle doit son premier succès à une série de sweaters tricotés à la main utilisant la technique du trompe-l'œil. Les nœuds du col et des poignets qui ont l'air d'accessoires font partie du tricot.

Le goût de Schiaparelli pour le surréalisme ne se voit pas dans les silhouettes qu'elle crée mais dans les détails.

Les boutons sont en forme d'acrobates de cirque, de coléoptères, de guitares, de légumes et de sucettes. Les colliers sont en rhodophane aplati et ornés de cachets d'aspirine et d'insectes. Les gants arborent des ongles peints. Les sacs s'allument ou jouent de la musique quand on les ouvre. Les

→ **Elsa Schiaparelli, robe avec imprimé de homard, 1937. Philadelphia Museum of Art, Philadelphie, Pennsylvanie, États-Unis.**
Le homard est un motif récurrent dans les œuvres des surréalistes, notamment de Salvador Dalí. C'est lui qui crée le tissu de cette robe conçue par Elsa Schiaparelli et qui sera acquise par Wallis Simpson. Même si les lignes de la robe sont conformes au style de l'époque, l'emploi du homard et de l'imprimé cachemire et soie sont vivement décriés. Dalí insiste pour que la robe soit portée aspergée de mayonnaise, mais Schiaparelli refuse. Pour le cavalier de la porteuse de cette robe, Dalí dessine un costume parsemé de verres partiellement remplis de cognac.

chapeaux ont des formes de chaussures ou de côtelettes de mouton. Les tissus affichent des éléphants de cirque et des pages de journaux. Ceux dessinés par Salvador Dalí, avec lequel elle collabore, sont en crêpe de soie gris pâle et représentent des trompe-l'œil de peaux d'animaux (influencés par son tableau *Trois jeunes femmes surréalistes tenant les peaux d'un orchestre,* 1936).

Schiaparelli est étroitement associée au surréalisme. Toutefois elle est aussi admirée pour son talent et sa créativité. C'est un grand nom de la mode. On lui doit la silhouette aux épaules larges et aux hanches étroites qui domine la mode du début des années 1930 jusqu'au style new-look de Dior en 1947, ainsi que les ensembles coordonnés, les défilés à thème, le maillot de bain sans dos avec soutien-gorge intégré et la « robe enveloppe ». Le surréalisme, en tant que mouvement artistique, décline avec l'arrivée de la Seconde Guerre mondiale, mais continue à exercer encore aujourd'hui une certaine influence sur la mode et ses représentations. Des couturiers comme Karl Lagerfeld, Franco Moschino, Jean-Charles de Castelbajac et Maison Martin Margiela ont utilisé le détournement et la juxtaposition dans leurs collections.

← **Elsa Schiaparelli, veste en lin brodée, motif dessiné par Jean Cocteau, 1937.**
Philadelphia Museum of Art, Philadelphie, Pennsylvanie, États-Unis.
Les magnifiques détails de ce profil féminin dont la chevelure s'enroule autour de la manche ont été brodés par la maison Lesage à partir d'un dessin de l'artiste Jean Cocteau qui est un ami proche de Schiaparelli. Celle-ci collabore avec lui pour créer les costumes de l'actrice Jany Holt pour sa pièce *Les Monstres Sacrés* en 1940 et pour ceux de Maria Casarès dans le film de Robert Bresson *Les Dames du Bois de Boulogne* en 1945.

AUTRES COLLECTIONS
ANGLETERRE Victoria and Albert Museum, Londres
BELGIQUE Mode Museum, Anvers
ÉTATS-UNIS Brooklyn Museum, New York; The Costume Institute, Metropolitan Museum of Art, New York; Drexel Historic Costume Collection, Drexel University, Philadelphie, Pennsylvanie; The Museum at the Fashion Institute of Technology, New York
FRANCE Musée de la Mode et du Textile, Louvre, Paris
JAPON Institut du costume de Kyoto, Kyoto

hollywoodien; punk; déconstructionnisme; postmodernisme

rationalisme; tenues de cérémonie; production en série

Le style néovictorien

À la fin des années 1930, on assiste à un retour du style victorien avec la vogue des robes longues romantiques serrées à la taille. En réaction à la Grande Dépression et à la guerre qui se prépare, la mode se réfugie dans la fuite du réel et la nostalgie et remet au goût du jour le style de l'époque victorienne qui est très bien accueilli.

FRANZ XAVER WINTERHALTER (1805-1873); **GEORGE VI** (1895-1952); **ELIZABETH BOWES-LYON** (1900-2002); **NORMAN HARTNELL** (1901-1979); **CECIL BEATON** (1904-1980)

nostalgie; néovictorien; fuite du réel; bals costumés; *Autant en emporte le vent*; *Les Quatre filles du docteur March*

Entre le milieu des années 1930 et le début de la Seconde Guerre mondiale, les couturiers s'essayent à imiter un style rappelant les crinolines de Charles Frederick Worth. La silhouette est voluptueuse, la robe longue et la taille fine, suivant la mode de la fin de l'ère victorienne. Ce style est à contre-courant des formes sveltes et sinueuses des tendances contemporaines.

Les raisons du retour au style de cette époque sont multiples. À Paris, la grande vogue des bals costumés somptueux assure la pérennité de l'industrie de la haute couture et ressuscite les styles qui étaient en vogue à la veille de la guerre franco-allemande. À l'occasion de ces bals, les jupes à cerceaux et les corsets sont de rigueur et le style finit par influencer les tenues de ville. Le succès des films hollywoodiens d'époque contribue également à la nostalgie de la silhouette victorienne. Pour les grandes occasions, notamment les mariages, les femmes s'inspirent des costumes dessinés par Walter Plunkett pour Vivien Leigh, la Scarlett O'Hara d'*Autant en emporte le vent* (1939) et Katharine Hepburn jouant Jo dans *Les Quatre filles du docteur March* (1933).

La clé du succès du style néovictorien est le voyage officiel en France en 1938 de Elizabeth Bowes-Lyon, mère de la reine d'Angleterre Elizabeth II. Pour l'occasion, elle demande au couturier londonien Norman Hartnell de lui créer sa garde-robe. Suivant les souhaits du roi George VI, en faveur d'un style élégant illustré par Worth et sa silhouette à crinoline, Hartnell s'inspire des portraits victoriens de la royauté européenne de Franz Xaver Winterhalter. Cependant, cinq jours avant la visite officielle, la comtesse de Strathmore meurt. Hartnell est obligé de recréer toute la collection, et il choisit le blanc, qui est une couleur de deuil démodée, à la place du noir et du violet qu'il déteste. Le couple royal est reçu avec enthousiasme. Le succès de la garde-robe néovictorienne blanche et le savoir-faire de Norman Hartnell sont remarqués par l'industrie de la mode parisienne, et ses couturiers se mettent à l'imiter.

Même Chanel, qui incarne la nouvelle tendance moderniste, se laisse tenter à cette époque par le romantisme. Elsa Schiaparelli,

Mainbocher, Jean Patou et Cristobal Balenciaga utilisent des motifs victoriens dans leurs créations. Avec la Seconde Guerre mondiale et ses impératifs d'austérité et de commodité, le style néovictorien aux lignes généreuses et romantiques disparaît avant même d'avoir eu le temps de poser ses marques. Cependant, le regain de la vogue victorienne peut être vu comme un avant-goût de la mode d'après-guerre qui vante la silhouette en sablier de Christian Dior, dite « new-look », et qui pourtant n'aura rien de nouveau.

Cristobal Balenciaga, robe « Infanta », 1938-1939. The Costume Institute, Metropolitan Museum of Art, New York, États-Unis.
Contrairement à ses créations d'après guerre, la robe « Infanta » de 1939 du couturier Cristobal Balenciaga s'inspire fortement de l'histoire. La robe longue est dans le style néovictorien, en vogue dans le Paris de l'époque, mais s'inspire surtout des costumes portés à la cour d'Espagne, au XVIIe siècle, par les princesses, telles que les a peintes Diego Velázquez dans ses tableaux.

Cecil Beaton, *Queen Elizabeth, the Queen Mother*, 1939. National Portrait Gallery, Londres, Angleterre.
La garde-robe blanche créée pour la reine Elizabeth par Norman Hartnell est immortalisée dans une série de photographies de Cecil Beaton. Pris à la demande de George VI, ces portraits sont responsables de la diffusion du style néovictorien. La composition, la pose et la tenue imitent parfaitement les portraits de l'aristocratie européenne du XIXe siècle de Franz Xaver Winterhalter dont cette mode s'est inspirée au départ.

AUTRES COLLECTIONS
ANGLETERRE Museum of London, Londres
ÉTATS-UNIS Philadelphia Museum of Art, Philadelphie, Pennsylvanie
JAPON Institut du costume de Kyoto, Kyoto

débuts de la haute couture; Belle Époque; hollywoodien; new-look

esthétisme; rationalisme; moderne; utilitaire; minimalisme

Le style utilitaire

Le *Utility Clothing Scheme* (plan d'habillement utilitaire) est imposé en Angleterre en 1941 par le ministère du Commerce britannique afin de réguler la conception, la fabrication, les prix et la quantité de vêtements disponibles pour la population. Ces derniers, sobres et pratiques, reflètent bien l'esprit d'austérité du moment. Ils se distinguent par des épaulettes carrées, une coupe nette, des vestes droites et des jupes portant le nombre autorisé de plis.

HUGH DALTON (1887-1962); **EDWARD MOLYNEUX** (1891-1974); **NORMAN HARTNELL** (1901-1979); **DIGBY MORTON** (1906-1983); **VICTOR STIEBEL** (1907-1976)

ministère du Commerce britannique; Chambre syndicale des créateurs de mode; austérité; rationnement; système D

Ce plan, dicté par la prudence, donne naissance à une silhouette mince et élancée. Les vestes droites accentuent les épaules carrées et la taille cintrée. Les jupes sont soit droites, soit plissées, et leur ourlet se situe à quarante-six centimètres du sol. En 1942, une nouvelle loi (la *Making of Civilian Clothing*) renforce le plan d'austérité en précisant les normes vestimentaires à respecter pour les civils : le nombre de boutons est limité, les poches sont interdites, la largeur des coutures et des ourlets est minime, les jupes ne peuvent avoir que deux plis creux ou rentrés et quatre plis cassants et aucun ornement n'est autorisé. Les chaussures deviennent réglementées à partir de juin 1942 et doivent utiliser du liège, du bois et du raphia, à cause de la pénurie de caoutchouc. Les chaussures à semelles compensées, plus résistantes, deviennent la norme pour les femmes. Quant aux hommes qui ne portent pas l'uniforme, ils doivent abandonner les revers de pantalon, les rabats des poches, les bretelles et les gilets. Tous les vêtements civils conformes au plan utilitaire portent le logo CC41 (Civilian Clothing 1941).

En réponse aux critiques accusant les vêtements utilitaires de suivre la mode, le politicien Hugh Dalton du Parti travailliste invite les leaders de la Chambre syndicale des créateurs de mode londoniens (Incorporated Society of London Fashion Designers) à créer des modèles qui seront ensuite fabriqués en série. Les couturiers Hardy Amies, Digby Morton, Edward Molyneux et Victor Stiebel, entre autres, participent au projet. L'objectif est de concevoir une garde-robe élémentaire élégante comprenant une robe de ville, un manteau et un tailleur simples, conformes au règlement et pouvant être portés en toutes saisons. En mars 1942, un défilé dévoile au public trente-deux créations déclinées en six tailles. *Vogue* les qualifie d'utiles et agréables et donne raison au gouvernement en disant que l'utilitaire n'est pas la mort de la mode.

Si la création et la production de vêtements sont contrôlées de près, l'achat de ces derniers le devient tout autant avec le rationnement en juin 1941 qui s'ajoute au plan utilitaire et précise un maximum de soixante-six bons par personne et par an. Ceci représente un nombre très limité d'habits et les femmes doivent être particulièrement économes et inventives pour gérer leur garde-robe et celle de leur famille.

Le gouvernement en est conscient et met au point un système « débrouille » en 1943, *Make Do and Mend* (faire durer et raccommoder), qui explique comment arranger, rajeunir et relooker de vieux habits. À mesure que la guerre se poursuit, on observe des utilisations de plus en plus ingénieuses de tissus disponibles non réglementés.

Les femmes créent leurs propres modes à l'aide de tissus d'ameublement, de couvertures et même de toiles de cartes d'état-major. Elles tricotent de nouvelles chasubles à partir de laine démaillée, et fabriquent des robes de mariée et des sous-vêtements avec des rideaux de dentelles.

La Seconde Guerre mondiale se termine en septembre 1945, mais les Britanniques sont censés continuer à faire attention au prix et à la qualité des vêtements. Le rationnement continue jusqu'en 1949 à cause de graves pénuries et le plan utilitaire n'est annulé qu'en 1952.

↑ **Digby Morton, tailleur utilitaire, années 1940. Victoria and Albert Museum, Londres, Angleterre.**
Voici un des trente-deux prototypes dessinés par les membres de la Chambre syndicale des créateurs de mode londoniens en mars 1942 et qui sera prêt pour la production en octobre de la même année. Bien que les modèles ne soient attribués à aucun couturier en particulier, ce tailleur gris élégant à chevrons et chemisier à nœud en gros-grain porte les initiales de Digby Morton.

← **Robe utilitaire, années 1940. Gallery of Costume, Platt Hall, Manchester, Angleterre.**
Bien que le plan utilitaire vise à normaliser la conception et la production des vêtements, il existe encore différents types de prix et de qualités. Les vêtements les moins chers sont majoritairement en rayonne et en coton, très peu sont en laine. Cette robe noire en rayonne de style gilet arbore les quatre plis réglementaires sur le devant et des revers étroits sur des manches courtes. Les lacets à la taille laissent penser que la silhouette dominante de la fin des années 1940, le new-look de Christian Dior, influence déjà les lignes des vêtements utilitaires.

AUTRES COLLECTIONS

ANGLETERRE Bristol City Museum and Art Gallery, Bristol; Imperial War Museum, Londres; Museum of Childhood, Londres; York Castle Museum, York

ÉTATS-UNIS The Bard Graduate Center for Studies in the Decorative Arts, Design, and Culture, New York; Brooklyn Museum, New York

 rationalisme; production en série; minimalisme

 rococo; exotisme; dandysme; new-look; glam

Le new-look

Le « new-look » est un nouveau type de robe lancé à Paris en 1947 par Christian Dior, caractérisé par des jupons volumineux, une taille très fine et des épaules arrondies. Il est à la fois décrié et admiré. Bien que provoquant un scandale à sa sortie, ce style ultra-féminin et extravagant impose une silhouette qui va régner sur la mode pendant près de dix ans.

CARMEL SNOW (1887-1961) ; CRISTOBAL BALENCIAGA (1895-1972) ; CHRISTIAN DIOR (1905-1957) ; JACQUES FATH (1912-1954) ; PIERRE BALMAIN (1914-1982)

« Corolle » ; moulant; nostalgie; silhouette en sablier; tailleur Bar

La ligne « new-look » de Christian Dior est lancée le 12 février 1947. Elle devait s'appeler « Corolle » en raison de la forme des jupons s'ouvrant comme des pétales en fleur, mais Carmel Snow, alors rédactrice en chef du *Harper's Bazaar* américain, la rebaptise « new-look ».

Ce style somptueux et féminin est à l'opposé des vêtements droits, simples et fonctionnels portés pendant et juste après la Seconde Guerre mondiale. Les créations de Dior sont sophistiquées et sculpturales. Elles moulent le corps et dessinent une silhouette féminine idéalisée qui s'appuie sur une structure interne rigide. Dior remet au goût du jour les techniques traditionnelles de couture en utilisant des tissus solides dont le poids est renforcé par du taffetas. La taille est fine et corsetée. Les épaules tombantes accentuent la rondeur du buste. Les hanches sont amples et rembourrées. Le jupon est très plissé et volumineux et son arrondi tombe jusqu'au sol.

Cette silhouette provocante suscite des réactions sans précédent et la nouvelle mode est à la fois décriée et admirée. Les créations de Dior, dont chacune utilise vingt-trois mètres de tissu, sont perçues comme de scandaleuses extravagances en cette période d'après guerre encore soumise au rationnement et à de sévères privations. Les gouvernements et le public les critiquent vivement et lorsque Dior se rend aux États-Unis en 1947, il est reçu par les pancartes « Dior au bûcher ! » et « À bas le new-look ! ». Le style, extrêmement contraignant, est rejeté par les féministes qui le considèrent comme rétrograde et contraire à leur lutte pour l'émancipation des femmes.

Les protestations n'ont pourtant aucun effet, et le new-look de Dior remet Paris à la première place des capitales de la mode. Un an plus tard, ce nouveau genre règne en maître sur la mode occidentale.

Le style est très commercial et facile à copier (si on a les moyens d'acheter le tissu). Les magazines donnent de multiples conseils pour reproduire le look à moindre frais et pour adapter des vêtements existants.

→ **Christian Dior, tailleur Bar, 1947.**
Victoria and Albert Museum, Londres, Angleterre.
Le tailleur Bar ouvre la première collection de Christian Dior au printemps 1947 et symbolise le style new-look. La veste, en chantoung naturel, est très cintrée à la taille et légèrement rembourrée aux hanches. La jupe en laine noire est très ample avec des plis profondément marqués. Elle est surmontée d'un gilet en soie et tulle. Cet ensemble extravagant, contraignant et lourd paraît scandaleux à ceux qui ont connu les privations de la Seconde Guerre mondiale.

Cependant, le terme « new-look » est un peu trompeur dans la mesure où le style n'est pas entièrement nouveau mais constitue plutôt un retour nostalgique à l'époque des tailles corsetées, des hanches rembourrées et des épaules étroites et tombantes. En réalité, la silhouette féminine à la Dior avait été timidement amorcée à la fin des années 1930, puis en 1946, notamment par Cristobal Balenciaga, Jacques Fath, Edward Molyneux et Pierre Balmain. Dior est ainsi le porte-drapeau du mouvement plutôt que son instigateur. En revanche, c'est bien lui qui parfait et affine le style qui deviendra le new-look.

Au cours des années 1950, la silhouette en forme de sablier célébrée par Dior perd progressivement du terrain au profit d'un style moins structuré et plus linéaire. Cette tendance se remarque dans ses propres collections à partir de 1954 avec notamment les lignes « H », « A » et « Y », où les lettres symbolisent la forme de la silhouette. La même année, Coco Chanel, alors à la retraite, reprend son activité, révoltée entre autres par le style Dior qui va, selon elle, à l'encontre du confort et de l'élégance naturelle de la femme. Au bout de deux ans, ses tailleurs cardigans très sobres, qui étaient au départ à contre-courant de la mode dominante et l'antithèse du new-look, fascinent le public et reflètent une nouvelle tendance. Par ailleurs, Balenciaga lance de nouvelles formes. Sa robe-sac, en 1957, annonce la silhouette qui va dominer les années 1960.

← **Cristobal Balenciaga, robe du soir en taffetas de soie, vers 1955. Victoria and Albert Museum, Londres, Angleterre.**
Bien que Dior et le new-look fassent la une des journaux, c'est le couturier Cristobal Balenciaga qui est le véritable seigneur de cette époque. Connu pour ses techniques de coupe innovantes et incomparables, Balenciaga ne cherche pas à réprimer le corps de la femme mais plutôt à le mettre en valeur. Ses créations de l'époque s'appuient sur deux formes particulières. La première, comme le montre cette robe du soir rouge en taffetas de soie de 1955, est conforme à l'aspect cintré du new-look. L'autre, en revanche, annonce la ligne fluide, détachée du corps, en forme de sac et de trapèze qui sera la ligne phare des années 1960.

AUTRES COLLECTIONS
AUSTRALIE Powerhouse Museum, Sydney
CANADA Costume Museum of Canada, Winnipeg
ESPAGNE Fundación Balenciaga, Guetaria; Museo del Traje, Madrid
ÉTATS-UNIS Chicago History Museum, Chicago, Illinois; Cornell Costume and Textile Collection, Cornell University, Ithaca, New York; The Costume Institute, Metropolitan Museum of Art, New York
JAPON Institut du costume de Kyoto, Kyoto

Belle Époque; néovictorien

déconstructionnisme; moderne; rationalisme; futurisme; utilitaire

Le style néo-édouardien

Le style néo-édouardien est un mouvement élitiste et nostalgique lancé par les couturiers de Savile Row après la Seconde Guerre mondiale et qui vise à remettre au goût du jour certains vêtements masculins du passé. Modérément suivi, c'est ironiquement la jeunesse britannique contestataire d'après guerre qui s'en empare, notamment les Teddy Boys, issus de la classe ouvrière.

CECIL BEATON (1904-1980) ; **NEIL MUNRO «BUNNY» ROGER** (1911-1997) ; **NORMAN PARKINSON** (1913-1990)

nostalgique; classe ouvrière; mouvement de jeunes; Teddy Boys

Profondément nostalgiques, les néo-édouardiens cultivent un style qui aurait paru tout à fait dans le ton s'ils avaient vécu au début des années 1900. La silhouette est sobre, ajustée et élégante. La veste longue est moulante et à épaules étroites. Le manteau à col de velours est à haut boutonnage. Le pantalon est serré. Le chapeau melon légèrement rétréci se porte sur le sommet du crâne. Une canne à pommeau en argent, une cravate Charvet et des gants en cuir fin complètent l'ensemble.

Le style est immortalisé par Norman Parkinson avec sa célèbre photographie *The New Mayfair Edwardians* (1950). Publiée dans *Vogue* en avril 1950, cette image illustre parfaitement les caractéristiques

↓ **Henry Grant, Two men dressed in the «Teddy Boy» style, 1953. Museum of London, Londres, Angleterre.** Ces jeunes gens sont vêtus dans le style «Teddy Boy» qui associe les modes néo-édouardienne et américaine. Les «Teds» expriment le rejet des vêtements tristes de l'Angleterre d'après guerre avec leurs cheveux lissés en banane, leur veste drapée au col de velours, leur cravate étroite et leur pantalon-cigarette. Vers le milieu des années 1950, les Teddy Boys ont la réputation d'être des voyous violents, surtout dans la presse.

du style néo-édouardien : élitisme, retenue, tendance militaire et look anglais. Celui-ci est très apprécié par les jeunes officiers de la Garde, la bourgeoisie et les arbitres de la mode masculine tels que Cecil Beaton et Neil Munro « Bunny » Roger.

Cependant, par une ironie du sort, cette mode va changer de public en 1953. Alors qu'elle reflétait les valeurs de l'ancien monde, elle est adoptée par la classe ouvrière et par les jeunes voyous que sont les Teddy Boys (Ted et Teddy étant les diminutifs d'Édouard). En s'appropriant les vêtements néo-édouardiens, les Teddy Boys réduisent à néant les prétentions d'élitisme associées à ce style.

Un néo-édouardien est fier de son apparence et se reconnaît au premier coup d'œil : veste drapée droite descendant jusqu'aux cuisses et munie d'un col de velours, de quatre boutons et d'un dos sans couture qui combine le côté classique anglais avec les larges épaules du look américain, pantalon-cigarette, mocassins à semelle de crêpe épaisse et cravate étroite surnommée « Slim Jim ». Les costumes sont fabriqués par des tailleurs de quartier pour 20 £ à 30 £, somme qui n'est pas négligeable pour l'époque puisque le salaire moyen est de 7 £ par semaine.

La presse prend bientôt les Teddy Boys en grippe et diabolise leur mouvement. Entre 1954 et 1956, l'hystérie bat son plein et les gros titres mettent en garde le public contre les dangers que représente cette sous-culture.

Le style néo-édouardien devient populaire et se répand dans tout le pays en 1956, alors même que les Teddy Boys du début commencent progressivement à l'abandonner. Un noyau dur subsiste et on assiste à quelques tentatives de relance. Il reste que les Teddy Boys ont donné à la jeunesse ouvrière britannique un modèle leur permettant de s'exprimer à travers des codes vestimentaires spécifiques.

→ **Costume trois-pièces droit Carr, Sonn & Woor, 1951. Victoria and Albert Museum, Londres, Angleterre.** Ce costume trois-pièces néo-édouardien est une copie de 1951 d'une tenue portée par Winston Churchill sur une photographie de 1911. À l'instar du new-look de Christian Dior en France, ce style tente de faire revivre en Angleterre les beaux jours de la haute société d'avant la Première Guerre mondiale. Le chapeau melon représenté ici est de Thomas & Stone et date de 1960 environ.

AUTRES COLLECTIONS

ANGLETERRE Brighton Museum and Art Gallery, Brighton; Gallery of Costume, Platt Hall, Manchester; National Portrait Gallery, Londres

dandysme; Belle Époque; Savile Row; punk; football casual

bloomer; rationalisme; utilitaire; futurisme

Le courant existentialiste

Généralement bien éduqué, de race blanche et de classe moyenne, l'existentialiste rejette le matérialisme et donc (théoriquement) la mode. Cette attitude devient un courant à part entière et l'uniforme de l'existentialiste finit par infiltrer le système de la mode. On y retrouve les pulls marins, les pantalons-cigarettes et les jeans, les tricots à col roulé, les duffle-coats et les cheveux mal coiffés.

COLIN MCINNES (1914-1976) ; JACQUES ESTEREL (1917-1974) ; JULIETTE GRÉCO (1927-) ; AUDREY HEPBURN (1929-1993) ; BRIGITTE BARDOT (1934-) ; YVES SAINT LAURENT (1936-2008)

contre-culture; Rive Gauche; beatnik; antimatérialisme

L'existentialisme est un mouvement disparate qui apparaît à la fin des années 1940 pour durer jusqu'aux années 1960. Ses partisans défendent une doctrine fondée sur le libre arbitre et l'expérience humaine. Ils proposent une contre-culture qui constitue une alternative au système en place et s'oppose au statu quo.

Le look existentialiste prend un nom différent selon les pays. En France, il est baptisé style « Rive Gauche », quartier où les existentialistes se réunissent.

Le courant existentialiste

Le style est incarné par la sombre beauté de Juliette Gréco avec ses longs cheveux noirs et tout de noir vêtue. Aux États-Unis, c'est la Beat Generation et les beatniks. L'homme porte le bouc, un béret, un pantalon en coutil et un col roulé noir; la femme, un maillot noir, un pull trop grand et des ballerines. Au Royaume-Uni, le look est un mélange Rive Gauche et beatnik. Sous leur duffle-coat, les femmes arborent des bas opaques noirs ou bordeaux, des pulls marins, des pantalons serrés ou des jeans coupés, des sandales plates ou des ballerines. Les hommes adoptent un style similaire. Le roman *Les Blancs-becs* de Colin McInnes présente une chronique fictive de la scène existentialiste du Londres de 1958.

Des vêtements simples déstructurés sont également emblématiques de l'attitude antimatérialiste des existentialistes. En 1956, Brigitte Bardot crée la sensation en portant une robe vichy rose pour son mariage avec Jacques Charrier. Bien qu'il s'agisse d'une robe de haute couture (signée Jacques Esterel) exprimant le côté sexy et ingénu d'une actrice célèbre au sommet de sa gloire, elle est néanmoins simple et représentative de l'antimatérialisme de la star.

Inspiré par la tendance Rive Gauche, Yves Saint Laurent, qui est styliste chez Christian Dior en 1960, présente une collection «Beat». Il récupère ainsi la mode de la rue et l'adapte façon haute couture, ce qui est aujourd'hui une pratique assez courante. Mais à l'époque, sa collection provoque un tollé général et ses employeurs n'essayent pas de le retenir lorsqu'il décide de partir pour le service militaire.

La mode existentialiste est devenue un véritable standard et son influence sur la contre-culture, l'idéologie dominante et la haute couture est toujours visible aujourd'hui.

← **Ensemble, date inconnue. Victoria and Albert Museum, Londres, Angleterre.**
Se démarquant de la tenue habituelle de la majorité des Américains d'après guerre, cet ensemble composé d'un blouson en cuir doublé de peau de mouton, d'une chemise à carreaux portée sur un tee-shirt blanc, d'un pantalon en toile et de bottes militaires est apprécié des écrivains beatniks Jack Kerouac et Neal Cassidy.

← **Cecil Beaton, *Audrey Hepburn dressed in black*, 1954. Tirage d'époque au bromure, National Portrait Gallery, Londres.**
Hollywood crée sa propre version du style Rive Gauche et aide à le populariser. Audrey Hepburn interprète une libraire dans le film *Drôle de frimousse*. Fred Astaire, dont le rôle s'inspire de la vie du photographe Richard Avedon, la remarque et l'engage comme mannequin. La scène de jazz montre Audrey Hepburn habillée entièrement en noir, comme les existentialistes. Depuis cette époque, le style est devenu universel et influence encore la mode du XXIe siècle.

AUTRES COLLECTIONS
ANGLETERRE Brighton Museum and Art Gallery, Brighton
ÉTATS-UNIS The Costume Institute, Metropolitan Museum of Art, New York
FRANCE Musée de la Mode et du Textile, Louvre, Paris

punk; avant-gardisme japonaise; déconstructionnisme

baroque; dandysme; yuppie

Les boutiques anglaises

Le mouvement des boutiques anglaises apparaît au Royaume-Uni au début des années 1960 alors que le besoin d'une mode moins chère, plus jeune et plus dynamique se fait sentir. À l'opposé des grands magasins et des commerces qui proposent à une clientèle plus âgée des modes qui évoluent lentement, les nouvelles boutiques s'adressent exclusivement aux jeunes et sont gérées à la manière de clubs où le décor, la musique et les vendeuses concourent à définir une nouvelle relation d'achat.

ALEXANDER PLUNKETT-GREENE (1932-1990); JOHN STEPHEN (1934-2004); MARY QUANT (1934-); BARBARA HULANICKI (1936-); JOHN BATES (1938-); SALLY TUFFIN (1938-); MARION FOALE (1939-); RAYMOND «OSSIE» CLARK (1942-1996); JEFF BANKS (1943-)

explosion de la jeunesse; adolescents; Biba; Bus Stop; Ginger Group; Carnaby Street; «années swing»

En 1960, l'explosion de modes pour les jeunes et l'émergence du mouvement des boutiques anglaises résultent de conditions socio-économiques bien particulières. Les adolescents n'ont jamais été aussi nombreux dans le pays et ils disposent d'un revenu supérieur à celui qu'avaient leurs parents au même âge. Par ailleurs, la nouvelle génération de couturiers frais émoulus des écoles de mode est rejetée par le système en place, hiérarchisé et conservateur. Ces créateurs décident alors d'ouvrir leurs propres maisons et de s'adresser à la jeunesse.

Les boutiques anglaises témoignent parfaitement de l'esprit de liberté des années 1960. Elles proposent des modes de courte durée et abordables dans une ambiance qui tient davantage du club que du magasin de vêtements. Parmi les plus connues se trouvent Bus Stop, Clobber, Miss Mouse, Quorum et Granny Takes a Trip. Elles se fournissent auprès des talentueux couturiers de la nouvelle génération, tels que Marion Foale et Sally Tuffin, John Bates, Jeff Banks et Raymond «Ossie» Clark.

Mary Quant est à l'avant-garde de cette révolution. Aidée par son mari Alexander Plunkett-Greene et par son directeur d'affaires Archie McNair, elle ouvre Bazaar sur King's Road en 1955. Cette boutique d'un genre nouveau, dont les vitrines sont magnifiquement agencées, propose du prêt-à-porter dans des styles qui se renouvellent souvent et dans une ambiance décontractée. Elle est fréquentée par une clientèle éclectique, attirée par ces vêtements faciles à porter et par leurs nouvelles matières. En 1963, Mary Quant produit en série sa ligne «Ginger Group» et appose son célèbre logo représentant une marguerite sur différents produits dont du maquillage, des collants et des chaussures.

Barbara Hulanicki propose dans sa boutique Biba, d'inspiration romantique, des articles bien différents. Influencée par les styles Arts déco et nouveau, ainsi que par le côté glamour d'Hollywood, elle vend des vêtements qui n'ont rien à voir avec le look pop clinquant et futuriste à la mode et utilise le plus souvent des couleurs «mortes»: mûre, vert bouteille, myrtille, rouille et prune.

John Stephen passe pour le fondateur du nouveau quartier de la mode Carnaby Street qui concurrence King's Road. C'est un jeune créateur et entrepreneur de Glasgow qui

révolutionne le vêtement masculin, comme Mary Quant l'a fait pour le style féminin. Il comprend le besoin de paraître et le désir des jeunes gens de ne pas s'habiller comme leurs pères.

Même si quelques boutiques ont du succès en province, et si le mouvement a une certaine influence aux États-Unis, ce phénomène est surtout limité au centre de Londres. En avril 1966, le magazine new-yorkais *Time* annonce au monde entier que Londres est la ville «où on swingue», et les années 1960 sont dès lors baptisées les «années swing».

Londres devient la capitale mondiale de la mode, mettant fin à la suprématie de Paris, qui aura duré plus de deux siècles. Paris qui, dans les années 1950, avait observé la naissance de ces modes pour la jeunesse avec une certaine distance, finit enfin par réagir. La Ville lumière mise alors sur le développement du prêt-à-porter créé par les grands couturiers, sur l'explosion des concessions de licences et sur la nouvelle génération de créateurs influencés par la jeunesse londonienne.

Mary Quant, minirobe, 1967. Victoria and Albert Museum, Londres, Angleterre.
La minijupe, popularisée en Angleterre par Mary Quant, est la base de la mode féminine des années 1960. C'est l'évolution des collants et des bas et leur disponibilité qui autorisent des jupes aussi courtes (pouvant aller du dessus du genou à mi-cuisse). Leur port protège du froid et des regards indiscrets.

Mary Quant, bottines «Quant Afoot», 1967. Victoria and Albert Museum, Londres, Angleterre.
Au cours des années 1960, les couturiers utilisent de nouvelles matières synthétiques pour créer des vêtements jeunes, dernier cri et au look souvent futuriste. Ces bottines en plastique conçues par Mary Quant pour sa ligne de chaussures «Quant Afoot» sont transparentes et c'est la doublure intérieure interchangeable qui apporte la couleur. Son logo, une marguerite stylisée, est moulé sous le talon afin de laisser une empreinte de pas fleurie quand on marche sous la pluie ou sur la neige.

AUTRES COLLECTIONS

AUTRICHE Wien Museum, Vienne
BELGIQUE Modemuseum, Hasselt; Mode Museum, Anvers
ANGLETERRE Fashion Museum, Bath; Museum of London, Londres; Walker Art Gallery, Liverpool Museums, Liverpool; Worthing Museum and Art Gallery, Worthing
ESPAGNE Museo del Traje, Madrid
ÉTATS-UNIS Arizona Costume Institute, Phoenix Art Gallery, Phoenix, Arizona; Los Angeles County Museum of Art, Los Angeles, Californie; The Museum at the Fashion Institute of Technology, New York

néo-édouardien; glam; production en série

néoclassicisme; débuts de la haute couture; rôle d'Internet

MSM

C'est le couturier parisien André Courrèges qui lance le style futuriste avec sa collection emblématique de 1964 où le minimalisme trouve son expression à travers des tissus blancs et brillants en nouvelle matière synthétique. Des accessoires tels que des chapeaux-plateaux et des bottes en chevreau blanc ou vernies complètent l'ensemble.

PIERRE CARDIN (1922-); **ANDRÉ COURRÈGES** (1923-); **EMMANUEL UNGARO** (1933-); **PACO RABANNE** (1934-)

moderne; futuriste; simple; hardi

André Courrèges révolutionne le monde de la mode avec sa collection «Fille de lune» qui présente des tailleurs-pantalons et des jupes s'arrêtant au-dessus du genou. L'argenté, le blanc, les parements en vinyle, les chapeaux-plateaux et les bottes brillantes donnent l'impression d'une garde-robe créée pour l'ère de l'espace. Le magazine *Queen* est le premier à saluer ces créations novatrices et ultramodernes, alors que, cette année-là, il avait qualifié les vêtements des grands couturiers parisiens de «ternes». Brigitte Bardot elle-même avait déclaré que la haute couture était pour les grands-mères.

La collection de Courrèges combine savoir-faire et tissus traditionnels avec des habits jeunes et futuristes en matière synthétique. Le style reflète l'intérêt de l'époque pour les voyages dans l'espace et la science-fiction. Ses «filles de lune» portent des pantalons ajustés taille basse complétés par des robes-tuniques courtes, des vestes ou des minijupes et des bottes à bouts carrés en cuir souple blanc arrivant à mi-mollet. Les chapeaux sont larges, en forme de casque, et des lunettes de soleil blanches, complètement opaques à l'exception d'une mince fente au milieu des verres, accentuent l'effet futuriste. Les formes nettes sont géométriques, faites de simples trapèzes pour les robes et les manteaux en tissus blancs. Les robes blanches sont ornées d'un passepoil de couleur vive et les tailleurs-pantalons futuristes sont blanc et argent. Par la suite, Courrèges présentera même des robes transparentes ou comportant des fenêtres.

Deux autres grands couturiers de l'époque jouent aussi avec les couleurs et les textures pour leurs créations aux coupes impeccables. Au début des années 1960, Pierre Cardin, personnage déjà très influent, a défié la Chambre syndicale de la couture parisienne avec sa collection de prêt-à-porter en 1959, brisant ainsi les conventions. Il apporte sa contribution au style futuriste avec sa collection de 1964 pour hommes et femmes qui propose des jerseys à col rond ou polos, des jupes courtes, des tout-en-un en tricot, des pantalons moulants, des combinaisons et des chapeaux en forme de casque dotés de visières en plastique moulé.

Après avoir travaillé avec Courrèges, Emmanuel Ungaro ouvre son propre atelier en

1965 avec son associée Sonja Knapp. Ungaro développe sa propre vision de la mode jeune et futuriste avec des manteaux et des tailleurs aux couleurs vives, des shorts, des robes trapèzes ou en dentelle transparente, des cuissardes, des chaussettes montant au-dessus du genou et des habits en métal. Il emploie pour ses collections de nouvelles matières synthétiques ainsi que des textiles fabriqués à sa demande par la maison italienne Nattier.

À partir de 1966, les idées les plus « mettables » des couturiers parisiens descendent dans la rue. Le vinyle transparent et le PVC de couleur vive sont parfaits pour faire des imperméables branchés et les matières à l'aspect métallique comme le lurex sont choisies pour les tenues de soirée. En revanche, les créations articulées de Paco Rabanne ne sont adoptées que par une élite avant-gardiste.

Pierre Cardin, ensemble pour homme de la collection « Cosmos », 1967.
Victoria and Albert Museum, Londres, Angleterre.
Inspiré des films de science-fiction pour le grand et le petit écran, cet ensemble futuriste de la collection « Cosmos » de Cardin rappelle *Star Trek* et *2001, l'Odyssée de l'espace*. Des tenues semblables à ce genre d'uniforme sont créées pour les femmes et les enfants. Radicalement différent de l'ensemble costume, chemise, cravate, l'habit de cosmonaute en jersey de laine est choisi par Cardin. La tunique équipée de grosses fermetures Éclair est portée avec une ceinture en cuir souple brillant par-dessus un polo.

AUTRES COLLECTIONS
ANGLETERRE Fashion Museum, Bath; Gallery of Costume, Platt Hall, Manchester
ÉTATS-UNIS The Costume Institute, Metropolitan Museum of Art, New York; Los Angeles County Museum of Art, Los Angeles, Californie; The Museum at the Fashion Institute of Technology, New York
FRANCE Musée de la Mode et du Textile, Louvre, Paris
JAPON Institut du costume de Kyoto, Kyoto

modernisme; boutiques anglaises; postmodernisme

bloomer; ritualisme

↓ **Paco Rabanne, robe à plaques articulées, 1967.**
Museo del Traje, Madrid, Espagne.
De nombreux couturiers et fabricants expérimentent les nouvelles matières brillantes. À partir de 1966, Paco Rabanne produit des robes inédites et sculpturales à maillons. La cliente peut acheter une boîte de disques en plastique qu'elle assemble avec des anneaux en métal de façon à former le vêtement souhaité. Rabanne crée également la garde-robe de Jane Fonda pour le film de science-fiction *Barbarella* en 1968.

Le glam

Le courant britannique glam (appelé *glitter* aux États-Unis) est tout autant un mouvement visuel qu'un genre musical combinant un rock américain lourd avec des artistes anglais cabotins et efféminés. Le premier style spécifiquement destiné aux jeunes apparaît dans les années 1970; il est théâtral, androgyne et glamour (d'où le nom « glam »). À l'opposé du genre hippie qui domine à la fin des années 1960, il annonce les modes fragmentées, faites de bric et de broc, de la nouvelle décennie.

TERRY DE HAVILLAND (1938-); **LEE EBLACK CHILDERS** (1945-); **KANSAI YAMAMOTO** (1944-); **BRYAN FERRY** (1945-); **MARC BOLAN** (1947-1977); **DAVID BOWIE** (1947-); **JAYNE COUNTY** (1947-); **ANGIE BOWIE** (1949-)

efféminé; *glitter*; androgyne; glam; Theatre of the Ridiculous

La tenue vestimentaire fait partie du glam et les modes passent rapidement de la scène à la ville. Les boas en plumes, maquillages à paillettes, vestes à sequins et pantalons en satin de Marc Bolan, le mélange futuriste et glamour hollywoodien des années 1930 et 1940 de Brian Ferry et de son groupe Roxy Music, les cheveux orange effilés et les combinaisons moulantes de David Bowie se diffusent rapidement et créent un look éclectique qui ne ressemble à aucun style connu. L'androgynie, les paillettes, le lamé, les blousons de satin, les combinaisons et les bottes à semelles compensées signées Terry de Havilland constituent le style glam.

L'impact de David Bowie, ou plus exactement de son alter ego Ziggy Stardust, sur la mode du début des années 1970 est énorme. Des milliers d'admirateurs essaient d'imiter Ziggy avec sa coupe effilée orange vif en halo, ses sourcils rasés, son visage peint sur fond de teint blanc, son extrême maigreur, le tout accentué par des costumes signés Kansai Yamamoto et par des bottes à semelles compensées vertigineuses. On doit l'origine de ce look (qui deviendra le modèle utilisé pour la transformation de Ziggy l'extraterrestre androgyne) aux drag-queens Jayne County et Leee Black Childers qui fréquentent la scène marginale dominée par Andy Warhol et qui font découvrir à Bowie le cercle fermé du Factory où tout est permis. Pendant son séjour à New York, en 1971, County et Childers lui servent de guide, le présentant notamment à la troupe subversive Theatre of the Ridiculous, connue pour utiliser des paillettes. Bowie observe et s'imprègne de ce qu'il voit. Sa femme Angie Bowie, fustigée par des fans obsessionnels, joue cependant un rôle essentiel dans sa transformation et l'encourage à tirer parti de son talent pour la mise en scène.

Aux États-Unis, l'influence du style glam est plus réduite. Rodney Bingenheimer, anglophile et amateur invétéré de musique, introduit le glam à Los Angeles avec le Rodney Bingenheimer's English Disco (1972-1975). Le club devient rapidement la scène rock du *glitter* (glam américain) et invite les New York Dolls et Iggy Pop. Les tenues sont plus sexuées que dans le glam anglais. Bien que le glam en tant que genre musical et style vestimentaire disparaisse en 1975, il a une influence durable sur la mode. Le mouvement néoromantique s'inspire directement de son esprit et de son look.

← **Veste Biba pour femme en lamé doré, 1965-1969. Victoria and Albert Museum, Londres, Angleterre.**
La boutique londonienne emblématique Biba, fondée en 1964, propose un style très particulier qui ne ressemble à aucun autre. Influencé par les excès de l'Art nouveau et de l'Art déco, ainsi que par le glamour hollywoodien des années 1930, le style très féminin Biba a un effet marquant sur l'esthétique glam.

← **Terry de Havilland, chaussures à semelles compensées, 1972. Walker Art Gallery, Liverpool, Angleterre.**
Terry de Havilland est le chausseur glam par excellence et fournit les souliers de la plupart des musiciens appartenant au mouvement. Fils d'un bottier du quartier est de Londres, il popularise la chaussure à semelle compensée et crée des modèles fabuleux en peau de serpent et de crocodile pour Marc Bolan, David Bowie et de nombreuses stars des années 1970. Sa boutique londonienne de King's Road, Cobblers to the World, ferme en 1979. Toutefois, après plusieurs années d'absence, il relance son entreprise.

AUTRES COLLECTIONS
ÉTATS-UNIS Hard Rock Cafe, Orlando, Floride; Philadelphia Museum of Art, Philadelphie, Pennsylvanie

restauration; esthétisme; néoromantisme

débuts de la haute couture; utilitaire; existentialisme

Le romantisme nostalgique

Parallèlement aux styles dynamiques, éclectiques et synthétiques des années 1970, se développe une tendance complètement opposée qui cherche l'inspiration dans un passé idéalisé. Le romantisme nostalgique se tourne vers les pastorales anglaises des époques victorienne et édouardienne et s'exprime à travers des robes à smocks et des tabliers-blouses simples en coton aux motifs délicats.

LAURA ASHLEY (1925-1985); **RAYMOND « OSSIE » CLARK** (1942-1996); **RALPH LAUREN** (1939-); **CELIA BIRTWELL** (1941-)

idéalisé; smocks; pastorale; innocence; prairie

En 1970, le romantisme nostalgique est représenté par les créations de Laura Ashley dont le parcours atypique témoigne d'un sens pratique et d'un esprit d'entreprise hors du commun. L'industrie artisanale qu'elle lance en 1953, et qui a pour objet la fabrication de torchons, serviettes, sets de table et napperons aux imprimés champêtres, se transforme en une société importante qui connaît un immense succès. Elle se développe rapidement au cours des années 1970. À partir d'une seule boutique, une chaîne de magasins s'étend bientôt aux États-Unis, au Canada, en Australie et jusqu'en Europe.

Les robes de Laura Ashley s'inspirent du style des vêtements en vogue au cours des ères victorienne et édouardienne. Elles évoquent une époque plus facile et présentent une version idéalisée de l'innocence bucolique. Le style Laura Ashley se caractérise par des manches gigot, des cotons simples et bon marché blancs ou ornés de motifs floraux délicats, des poignets et des cols parfois en dentelle mécanique, des décolletés pudiques, des tailles hautes avec des nervures mais aussi des smocks et des jupes longues à plusieurs étages. Le côté simple est souligné par les campagnes de marketing où l'on voit de jeunes mannequins au teint lisse photographiées dans un improbable décor bucolique et portant des paniers remplis de fleurs des champs.

Aux États-Unis, Ralph Lauren s'appuie sur les mêmes principes que Laura Ashley et produit des collections inspirées des valeurs traditionnelles et des pionniers du Middle West américain. Le look « prairie », qui deviendra son style, puise dans les modèles de vêtements des catalogues de Sears Roebuck des années 1880 et 1890, et fait largement appel au vichy et au calicot pour ses robes à jupons dotées de volants et de manchettes.

Le marketing et le style de Ralph Lauren, s'ils sont adaptés au goût du jour, sont néanmoins très nostalgiques du mode de vie américain d'autrefois et se focalisent sur la tradition.

Le romantisme nostalgique

Les adeptes du romantisme nostalgique ne présentent pas tous une image aussi lisse. Les créations de Raymond « Ossie » Clark incarnent le glamour, l'hédonisme et la sexualité clairement affichée de la fin des années 1960 et du début des années 1970 à Londres. Le style défini et commercialisé par Laura Ashley vise un public conservateur et de classe moyenne. Clark, en revanche, est un créateur particulièrement doué mais fantasque qui s'adresse à une clientèle plus dynamique. Ses motifs romantiques et l'emploi de superbes mousselines créées par sa femme et collaboratrice, Celia Birtwell, tempèrent le côté sexy de ses créations. Son style se caractérise par des cascades de volants, des ourlets brodés, des manches amples, des smocks et des robes-mouchoirs ainsi que des imprimés de treillis de fleurs, de brins de marguerite stylisés et des dessins naïfs d'étoiles filantes.

Laura Ashley, robe de ville en coton imprimé et chapeau de paille, 1974. National Gallery of Victoria, Melbourne, Australie.
Le style Laura Ashley est fondé sur une vision romantique des pastorales des ères victorienne et édouardienne. Ses collections exploitent la passion des Britanniques pour la vie à la campagne. Elles remportent un énorme succès, surtout auprès des gens de la classe moyenne habitant majoritairement en ville.

AUTRES COLLECTIONS

ANGLETERRE Gallery of Costume, Platt Hall, Manchester; Warrington Museum and Art Gallery, Warrington
AUSTRALIE Powerhouse Museum, Sydney
BELGIQUE Mode Museum, Anvers
ÉTATS-UNIS The Costume Institute, Metropolitan Museum of Art, New York
PAYS DE GALLES Llanidloes Museum, Powys; Newtown Textile Museum, Powys; Powysland Museum, Welshpool, Powys

Raymond « Ossie » Clark, robe en mousseline imprimée, 1970-1971. Victoria and Albert Museum, Londres, Angleterre.
Clark est un des créateurs les plus influents des années 1960 et 1970. Son style romantique nostalgique a un côté un peu provocateur. Il utilise des tissus transparents et des décolletés plongeants audacieux, mais le côté sexy de ses créations est tempéré par l'emploi de textiles aux motifs charmants et stylisés (combinant ici cœurs, coquelicots et plumes) dessinés par sa femme Celia Birtwell. Comme le dit un critique de mode contemporain: « On ne peut dissocier les coupes de Clark des imprimés de Celia. Les créations sont délicates, divines et hautement désirables. »

naturalisme; néoclassicisme; romantisme

futurisme; déconstructionnisme; football casual

Le style ethnique

Des lignes vestimentaires développées dans d'autres cultures influencent la mode à partir du milieu des années 1960 jusqu'au début des années 1970. Les stylistes de l'époque adoptent librement des caractéristiques inspirées par d'autres cultures dans leurs créations.

THEA PORTEUR (1927-2000); **YVES SAINT LAURENT** (1936-2008); **BILL GIBB** (1943-1988)

multiculturel; éclectisme; hippie; caftan

La représentation de mondes exotiques est une constante dans l'histoire de la mode. On peut citer comme exemple de la fascination constante de la mode pour les vêtements venus d'ailleurs l'adoption de la robe de chambre par les hommes occidentaux aux XVIIe et XVIIIe siècles, les imprimés de soie à la chinoise des années 1880 de Charles Frederick Worth, les magnifiques costumes orientalistes des années 1910 de Paul Poiret de même que la chemise longue à ceinture de Chanel inspirée de la *roubachka* des paysannes russes et faite en crêpe de chine, en 1922. À partir de la fin des années 1960, les vêtements de cultures non occidentales apparaissent dans les secteurs aussi divers que la haute couture, la mode dominante et la contre-culture, révélant ainsi une tendance marquée.

Pendant toute sa carrière, Yves Saint Laurent exploite avec talent différentes traditions vestimentaires venues d'autres pays. La collection africaine de 1967 brise les conventions en utilisant le lin et le raphia associés à l'ébène, à l'ivoire et au bois et des broderies en perles de verre pour ses tenues haute couture. Bien que ces vêtements dérivent directement des habits et arts traditionnels africains, Saint Laurent évite la parodie en refusant de les occidentaliser. Fidèle à son éclectisme culturel, sa collection russe automne-hiver 1976, somptueuse et bien documentée, s'inspire des vêtements cosaques classiques et des éblouissants Ballets russes. Peu après ce succès, sa collection sur l'opéra chinois s'attache aux aspects romantiques et anciens de la Chine.

Parallèlement à l'éclectisme ethnique observé dans l'industrie de la mode, les hippies et les autres groupes de la contre-culture rejettent nettement les valeurs occidentales modernes au profit de celles venant d'ailleurs. Ceci a un impact sur les vêtements de tous les jours qui vont se transformer largement avec l'arrivée des tenues traditionnelles rapportées d'Inde, d'Extrême-Orient et d'Afrique du Nord par les hippies ou importées par des détaillants entreprenants.

Depuis le milieu des années 1960, Thea Porter vend des caftans, tissus, tapis, coussins et autres articles exotiques dans son magasin, Thea Porter Decorations, du quartier Soho de Londres. Elle commence rapidement à dessiner et à fabriquer elle-même les caftans dont la demande est forte. C'est l'adresse de choix pour tous les adeptes du look hippie authentique. Les riches broderies, les velours originaux, les brocarts et la soie de ses vêtements figurent sur la pochette de l'album des *Beatles Magical Mystery Tour*.

Bill Gibb, robe imprimée Liberty, 1972. Victoria and Albert Museum, Londres.
Les créations innovantes, fantastiques et minutieuses de Bill Gibb puisent dans l'histoire et l'exotisme. Les habits du Moyen Âge, les tableaux préraphaélites, les costumes folkloriques des Proche et Extrême-Orient et de sa terre natale, l'Écosse, les tenues traditionnelles d'Afrique du Nord et le mouvement hippie influencent son travail. Cette somptueuse robe (portée par la chanteuse pop Sandie Shaw) à la jupe ample et fluide, aux manches bouffantes, à la forme non occidentale et au mélange inventif de textiles imprimés Liberty, est un parfait exemple de ses créations du début des années 1970. Élu couturier de l'année en 1970 par le magazine *Vogue*, Gibb lance sa propre griffe en 1972 et son savoir-faire exceptionnel lui assure une reconnaissance mondiale. Il est plébiscité par de nombreuses célébrités dont Twiggy, Elizabeth Taylor, Bianca Jagger et Anjelica Huston.

Yves Saint Laurent, robe du soir, 1967. The Museum at the Fashion Institute of Technology, New York, États-Unis.
Cette robe fait partie de la collection africaine de 1967 d'Yves Saint Laurent. Elle combine les techniques de la haute couture avec les motifs africains. Elle évoque les vêtements et les bijoux tribaux traditionnels.

AUTRES COLLECTIONS
ANGLETERRE Fashion Museum, Bath
ÉCOSSE Aberdeen Art Gallery and Museum, Aberdeen
ÉTATS-UNIS The Costume Institute, Metropolitan Museum of Art, New York

exotisme; Arts and Crafts

orientalisme; romantisme nostalgique restauration anglaise; débuts de la haute couture; rôle d'Internet

Le retour au classique

Le prêt-à-porter raffiné d'Yves Saint Laurent bénéficie des circonstances : le besoin d'économiser (la forte augmentation du prix du pétrole en 1973 touche pratiquement tout le monde) et le nombre croissant de femmes actives déclenchent un regain d'intérêt pour les tenues classiques dans lesquelles il est opportun d'investir.

GEOFFREY BEENE (1924-2004); **JEAN MUIR** (1928-1995); **SONIA RYKIEL** (1930-); **ROY HALSTON FROWICK** (1932-1990); **YVES SAINT LAURENT** (1936-2008); **WALTER ALBINI** (1941-1983); **CALVIN KLEIN** (1942-)

garde-robe de base; intemporel; pratique; polyvalent; élégant

Souvent qualifiées de « décennie oubliée par la mode », les années 1970 sont l'époque du « tout et n'importe quoi ». Les bouleversements sociaux et l'instabilité économique produisent une sorte de schizophrénie vestimentaire. Les modes hétéroclites comme le romantisme nostalgique, le glam, le sportswear, le punk et le style ethnique reposent sur l'activisme politique du « Black is Beautiful » et du mouvement d'émancipation des femmes. La décennie des années 1970 est rythmée, souvent insolente, jeune et pleine de vie.

Pourtant, au milieu de ce maelström, on observe un retour aux vêtements classiques de bonne qualité, élégants, fonctionnels et sobres. Les pantalons-cigarettes, les jupes arrivant au genou, ainsi que les chemisiers, vestes et tricots simples et intemporels font partie de la garde-robe de base.

Walter Albini à Milan, Jean Muir à Londres et Sonia Rykiel à Paris créent des vêtements associant élégance et classicisme. Toutefois, c'est la styliste moderniste Claire McCardell de New York qui est à l'avant-garde de cette mode avec ses tenues raffinées, pratiques et sobres.

Calvin Klein, Geoffrey Beene et Roy Halston Frowick contribuent tous les trois à façonner ce style. Halston ouvre sa propre société de prêt-à-porter à New York en 1972. Les lignes apparemment simples des vêtements vendus sous la marque « Halston Originals » sont le produit d'une technique hors pair. Ses robes colonnes, ses ensembles tunique-pantalon, ses robes-chemisiers et ses jupes portefeuilles ne comportent ni ornement superflu, ni couleur voyante, et sont en suède très souple, en cachemire, en jersey ou en soie. Ces tissus favorisent le drapé et épousent la forme du corps, qualités emblématiques de la marque. Les créations de Halston sont sobres mais néanmoins sexy et associées au glamour de ses amis célèbres dont Bianca Jagger, Liza Minnelli, Andy Warhol et Steve Rubell du Studio 54.

Jean Muir, à Londres, propose un style classique plus austère. Elle se définit comme une créatrice qui rejette la mode au profit du style. Elle emploie une palette de couleurs sourdes et se fait connaître par ses ensembles à l'apparente simplicité mais toujours élégants. Lorsqu'elle se lance à Paris en 1971, le magazine *Elle* la baptise « la nouvelle reine de la robe ». Muir propose aux femmes une garde-robe élégante, intemporelle, facile à porter et qui flatte la silhouette. Elle exploite avec bonheur la fluidité de ses tissus fétiches : le jersey mat, la soie et le suède. Elle continue à travailler dans ce style jusqu'à sa mort en 1991.

À l'instar du style moderne, qui cherche à améliorer le confort en rejetant toute contrainte vestimentaire artificielle, l'adepte du retour au classique pense que la fonction fait la forme. Aujourd'hui, la mode de vêtements simples, pratiques et néanmoins élégants est toujours d'actualité.

→ **Halston, robe beige en suède, 1972. The Museum at the Fashion Institute of Technology, New York, États-Unis.**
La robe en chevreau suédé est emblématique du style Halston et symbolise parfaitement son approche de la mode, du luxe et de la sobriété. Son travail influence encore aujourd'hui les collections des créateurs minimalistes comme Calvin Klein, Donna Karan et Narciso Rodriguez.

← **Jean Muir, ensemble, 1988. National Museum of Costume, Shambellie House, Dumfries and Galloway.**
Acclamée comme la meilleure couturière du monde, Jean Muir crée des modèles intemporels d'une technique incomparable. Son esthétisme minimaliste qui fait fi des ornements inutiles repose sur des tissus d'excellente qualité et une coupe d'une extrême précision. Ses créations uniques sont encensées par la critique et remportent un immense succès commercial.

AUTRES COLLECTIONS

ANGLETERRE Fashion Museum, Bath; Victoria and Albert Museum, Londres
BELGIQUE Mode Museum, Anvers
ÉTATS-UNIS Los Angeles County Museum of Art, Los Angeles, Californie; Museum of Art, Rhode Island School of Design, Providence, Rhode Island
FRANCE Musée de la Mode et du Textile, Louvre, Paris
JAPON Institut du costume de Kyoto, Kyoto

 rationalisme; moderne; minimalisme

 rococo; Belle Époque, yuppie

Le mouvement punk

Au milieu des années 1970, l'esthétique théâtrale du glam et l'esprit de la contre-culture hippie sont parfaitement intégrés au courant dominant. Le mouvement punk apparaît en 1975 dans un contexte de profond malaise social. Il exprime un anticonformisme et un refus de l'ordre établi à travers une mode vestimentaire et une musique conçues pour la provocation.

VIVIENNE WESTWOOD (1941-); **MALCOLM MCLAREN** (1946-); **SOO CATWOMAN (SOO LUCAS)** (1955-); **JORDAN (PAMELA ROOKE)** (1955-); **JOHNNY ROTTEN (JOHN LYDON)** (1956-); **SID VICIOUS (SIMON RITCHIE)** (1957-1979); **SIOUXSIE SIOUX (SUSAN BALLION)** (1957-)

malaise social; aliénation; désaffection; anticonformiste

↑ **Pantalon et veste bondage, 1976. Victoria and Albert Museum, Londres, Angleterre.**
Créé par Westwood et McLaren, cet ensemble tient du costume classique, du vêtement fétichiste, de l'habit de motard et de l'uniforme militaire. La fermeture Éclair placée à l'entrejambe, le pont arrière en serviette-éponge et les sangles de style bondage ont profondément choqué à sa sortie. Toutefois l'ensemble devient la tenue punk typique un an plus tard.

Diabolisés par les médias, les punks sont décrits comme des jeunes violemment opposés à la mode et à l'ordre établi dont le seul but est de choquer. Selon la presse, ils portent des colliers de chiens, des habits déchirés, des crânes partiellement rasés, des cheveux de couleurs criardes dressés en pointes, des épingles à nourrice en piercings et des pantalons-cigarettes moulants.

Certes, tous ces éléments existent bien, mais la culture punk est éclectique et plutôt subtile : son évolution et son esthétique procèdent de divers courants. Les punks sont issus de milieux sociaux variés qui partagent un même rejet du système. Le mouvement punk possède une composante intellectuelle forte : il s'inspire de l'Internationale situationniste qui critique la vacuité de la culture de consommation capitaliste, ce qui explique pourquoi le punk cherche à tout fabriquer lui-même. Parmi les autres influences, on peut citer le dadaïsme (mouvement artistique radical des années 1920 prônant l'anarchie) qui façonne la culture visuelle et le programme punk et la Factory d'Andy Warhol, en particulier la musique nihiliste du Velvet Underground et les vêtements déchirés tenant avec des épingles à nourrice de la superstar warholienne Jackie Curtis.

Toutefois, la tendance punk trouve surtout son origine dans la volonté délibérée de provoquer. C'est au départ une tenue « bricolée » à partir de tissus ou de styles disparates détournés. Le punk emprunte à la scène musicale new wave américaine, au glam, au rock and roll des années 1950, aux vêtements fétichistes, au reggae et au mouvement religieux rastafari ainsi qu'aux décorations militaires (y compris nazies). Le look résulte de l'assemblage de ces différents éléments.

Siouxsie Sioux, Soo Catwoman, Jordan et le groupe des Sex Pistols, Johnny Rotten, Paul Cook, Steve Jones et Glen Matlock (remplacé ensuite par Sid Vicious) sont représentatifs de ce style. Malcolm McLaren (manager des Sex Pistols) et Vivienne Westwood jouent un rôle fondamental en fournissant des tenues punk en prêt-à-porter. Ils possèdent un magasin de vêtements à Londres sur King's Road appelé « Sex » dont les lettres en latex rose de plus de un mètre de hauteur se détachent sur l'enseigne. Celui-ci propose des vêtements en latex et de style bondage fétichiste ainsi que les créations subversives de Westwood.

Symbolisant l'esthétique et l'esprit de la boutique (tout en provoquant la consternation du public) la ligne de tee-shirts arbore des slogans et des visuels très provocateurs. Parmi les designs on retrouve deux cow-boys vus de profil à moitié nus qui se font face et dont les pénis se frôlent, des seins nus (appelés les tee-shirts « Tits »), des citations du livre *School for Wives* d'Alexander Trocchi décrivant des fantasmes de lesbiennes, une swastika surmontée du mot « Destroy » et celui qui a le plus choqué montre une cagoule en cuir noir avec pour texte « le violeur de Cambridge ».

↓ **Vivienne Westwood et Malcolm McLaren, chaussures à hauts talons, 1974-1976, National Gallery of Victoria, Melbourne, Australie.**
Les vêtements fétichistes qui au départ se vendaient uniquement dans les sex-shops et se portaient dans les établissements spécialisés ou bien chez soi, sont proposés par pure provocation au grand public par Westwood et McLaren dans leur boutique Sex du quartier King's Road de Londres.

AUTRES COLLECTIONS
ANGLETERRE Museum of London, Londres

 surréalisme; néoromantisme; avant-gardisme japonais; déconstructionnisme

 naturalisme; Belle Époque; romantisme nostalgique

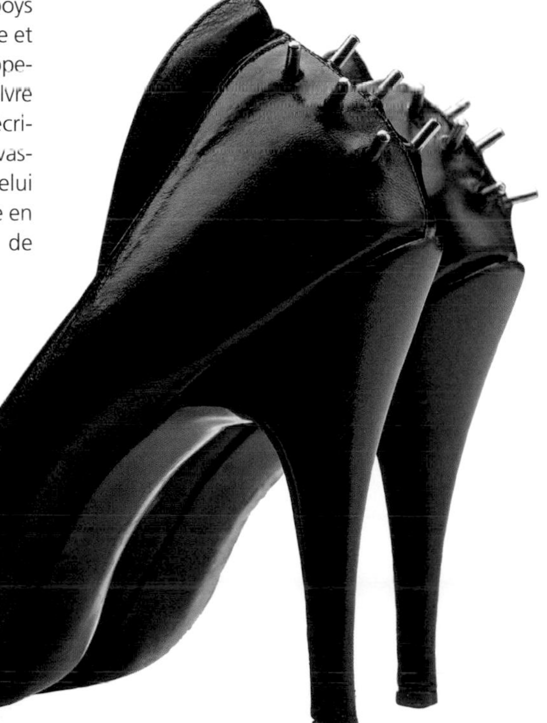

Le néoromantisme

Le néoromantisme est un prolongement plutôt qu'une contre-attaque, de la scène punk londonienne. Il apparaît en 1978 alors que les punks «historiques» adoptent un nouveau style pour se démarquer de la parodie que font désormais les médias de leur look et de leur mouvement. Poussés par le besoin de sortir de la norme, les néoromantiques optent pour une tenue vestimentaire extravagante, androgyne et hautement personnalisée.

VIVIENNE WESTWOOD (1941-); **DAVID EMANUEL** (1952-); **ELIZABETH EMANUEL** (1953-); **ADAM ANT (STUART GODDARD)** (1954-); **RUSTY EGAN** (1957-); **STEVE STRANGE (STEVEN HARRINGTON)** (1959-); **LADY DIANA SPENCER** (1961-1997); **(BOY) GEORGE O'DOWD** (1961-)

extravagance vestimentaire; ingéniosité; références historiques; glam; androgynie

Le style néoromantique est hétéroclite. Avec un peu d'imagination, tout est possible, mais ce qui réunit toutes les tenues est leur extravagance. Le néoromantique s'habille pour sortir et il met toute son énergie et toute son ingéniosité au service de son look. Le style se résume souvent à un côté esbroufe, à des clins d'œil historiques et à l'utilisation de rubans, de dentelles et de velours. Cependant, le néoromantisme est un mouvement complexe, qui influence la culture à plusieurs niveaux et se manifeste sous de multiples formes. Il renvoie en partie au contexte visuel qui accompagne le glam, dont les piliers sont l'ostentation, l'androgynie, l'extravagance et le narcissisme. Mais il puise également dans le futurisme, le style hollywoodien, les tenues militaires et l'exotisme. Lorsqu'on a réussi à se trouver un look bien à soi et qui se voit, on peut alors être considéré alors comme un néoromantique.

Le néoromantisme

Le néoromantisme fleurit dans les night-clubs de Londres. Une des premières scènes où il apparaît est chez Billy's, à Soho, lors d'une soirée thématique consacrée à David Bowie. Puis on le retrouve à l'autre bout de la ville, au Blitz, en février 1979. Cet établissement est géré par Rusty Egan et Steve Strange (employé au magasin de vêtements PX qui est à l'origine de la création et de la diffusion du look néoromantique), et George O'Dowd (Boy George) est au vestiaire. Les tenues que l'on porte au Blitz et la musique qu'on y joue les mardis soirs définissent le look et le son néoromantiques.

Cette mode (ou plutôt une version en plus édulcorée et stéréotypée) s'intègre assez rapidement au courant dominant sans y rencontrer de grande résistance. Elle est symbolisée par la robe que porte lady Diana Spencer pour son mariage avec le prince Charles en 1981, créée par David et Elizabeth Emanuel. Celle-ci se retrouve dans toutes les soirées discos du Royaume-Uni où on voit quantité de knickerbockers en velours, de chemises à haut col en dentelle et de maquillages à la Adam Ant. Le passage de la scène à la ville est encouragé par les artistes pop qui fréquentent l'underground et la scène néoromantique de Londres. Les Spandau Ballet (des habitués du Blitz), puis Adam Ant et Boy George, qui passent dans l'émission musicale populaire « Top of the Pops », font connaître à tous les jeunes britanniques un look jusque-là limité aux clubs subversifs. Filles et garçons copient rapidement leurs nouvelles idoles et les magasins profitent de la demande pour proposer des vêtements abordables et standardisés dans le style néoromantique.

→ **Adam Ant, costume de théâtre, 1981. Victoria and Albert Museum, Londres, Angleterre.** Le style de Adam Ant, un des spectacles musicaux les plus réussis du début des années 1980, a énormément d'impact sur le néoromantisme qu'il incarne. Influencé par les tenues historiques, militaires et tribales ainsi que par les autres néoromantiques de l'époque, il crée lui-même ses costumes de scène. Celui-ci a été porté dans la vidéo du quarante-cinq tours *Prince Charming*.

↑ **Vivienne Westwood et Malcolm McLaren, tenue féminine « Pirate », 1980. Victoria and Albert Museum, Londres, Angleterre.** La collection « Pirate » fait référence à l'histoire et présente les vêtements d'une façon théâtrale et spectaculaire. Elle connaît un grand succès et s'intègre au look néoromantique qui a le vent en poupe.

AUTRES COLLECTIONS
JAPON Institut du costume de Kyoto, Kyoto

mode révolutionnaire; hollywoodien; glam; punk; avant-gardisme japonais

bloomer; production en série; rôle d'Internet

Le football casual

Le style football casual apparaît au Royaume-Uni à la fin des années 1970, domine toute la décennie 1980 et continue, aujourd'hui encore, à influencer la mode masculine de la classe ouvrière. C'est un mélange de culture populaire, de tradition britannique et d'influence des marques sportives européennes. Le succès ininterrompu des équipes de football britanniques dans les tournois européens, à la fin des années 1970 et jusqu'au milieu des années 1980, donne l'occasion aux fans de se rendre à l'étranger, d'y observer de nouveaux styles et d'acheter des vêtements qu'ils ne trouvent généralement pas chez eux.

ADOLF «ADI» DASSLER (1900-1978); **BOBBY MOORE** (1941-1993); **GEORGE BEST** (1946-2005); **MASSIMO OSTI** (1946-2005); **BJÖRN BORG** (1956-); **DAVID BECKHAM** (1975-)

tradition britannique; jeans Lois; Fila; Lacoste; Adidas; élitisme; marques

La mode fait partie de la culture du football depuis longtemps. Des joueurs tels que Bobby Moore et George Best dans les années 1960, jusqu'au sexy et médiatique David Beckham dans les années 1990, sont des références en matière de mode, pour leurs fans comme pour le grand public. L'industrie de la mode, toujours prompte à exploiter la popularité des gens célèbres et l'engouement du public, fait appel depuis longtemps aux stars du football pour promouvoir ses produits. Les gradins des stades donnent aux hommes de la classe ouvrière britannique l'occasion d'afficher leur style vestimentaire (et leur sport) préféré, qu'ils soient Teddy Boys, modernistes ou skinheads. À la fin des années 1970, une mode qui doit presque tout au ballon rond se développe : le style football casual.

Elle démarre à Liverpool ou à Manchester (selon les sources), et ses adeptes suivent des codes vestimentaires très précis, accordant beaucoup d'attention aux détails. Ils affectionnent en particulier les jeans Lois, le sportswear haut de gamme de chez Ellesse, Fila, Lacoste et Sergio Tacchini. Ils apprécient également les vestes signées Massimo Osti de chez Stone Island et CP Company, les chaussures Adidas (maison fondée par Adolf «Adi» Dassler) et Diadora ainsi que les tricots de chez Pringle et Lyle & Scott.

Cependant, l'élitisme inhérent à cette culture explique la courte longévité des marques et des modes qui se succèdent à un rythme accéléré. Plusieurs vedettes servent de modèles, comme le célèbre tennisman Björn Borg, la légende du golf Arnold Palmer et la star du rock David Bowie. Le style football casual n'est pas homogène, ce qui est normal pour une mode liée au milieu du football. Elle reflète les particularités de chaque région et de chaque équipe du pays et emprunte par ailleurs aux looks soul, punk et pop. Les premiers fans de Liverpool à adopter ce style ont une coupe au carré plongeant (inspirée par celle de David Bowie sur la couverture de son album *Low*), un débardeur en mohair, des sandales en plastique et un duffle-coat; ceux de Manchester (appelés «Perry Boys» parce qu'ils aiment les polos Fred Perry) ont une coiffure ondulée; et ceux de Londres portent des polos Lacoste, des écharpes en cachemire, des débardeurs à losanges Pringle et des imperméables Burberry, look très influencé par les tenues de loisir de la bourgeoisie anglaise.

Certains critiques réduisent cette sous-culture à un simple fétichisme des marques, ou au besoin de singer les codes traditionnels de la classe moyenne (ce qui explique qu'il y ait si peu de représentations de cette mode dans les archives des musées). Cependant, comme dans toutes les sous-cultures dominantes de la classe ouvrière après la Seconde Guerre mondiale, les adeptes du style football casual font preuve de méthode dans leurs choix vestimentaires et savent apprécier la qualité, ce dont témoigne leur aspect soigné.

← **Sefton Samuels, Portrait of George Best, 1968. National Portrait Gallery, Londres, Angleterre.**
Les adeptes du style football casual s'inscrivent dans la tradition vestimentaire typiquement britannique. Il existe depuis toujours un lien étroit entre le football et une forme moderne de dandysme, comme on peut le constater chez les joueurs et les fans. George Best est à la fois une star du football et une icône de la mode. Sur cette photo, prise en 1968, il a vingt-deux ans et vient juste d'être élu footballeur de l'année. Il pose devant la boutique de mode de Manchester qui porte son nom.

← **Ensemble foot décontracté, 1982-1984. Victoria and Albert Museum, Londres, Angleterre.**
Cet ensemble est composé d'un haut de survêtement de Sergio Tacchini, d'un polo Lacoste, d'un débardeur Pringle (roulé autour de la taille), d'un jeans Lee et de tennis Diadora Björn Borg. C'est un parfait exemple du style football casual du début des années 1980, alors que les marques de sport européennes sont difficiles à trouver en Angleterre.

dandysme; néo-édouardien; néoromantisme

bloomer; Arts and Crafts; utilitaire

L'avant-gardisme japonais

HANAE MORI (1926-); ISSEY MIYAKE (1938-); KENZO TAKADA (1939-); REI KAWAKUBO (1942-); YOHJI YAMAMOTO (1943-)

intellectuel; «style clochard»; subversif; postpunk; superposé

Après leur lancement à Paris en 1981, les collections de Rei Kawakubo, pour Comme des Garçons, et de Yohji Yamamoto provoquent l'étonnement et le plus grand émoi dans le milieu de la mode. Les deux stylistes présentent des modèles qui défient les conventions. Les mannequins défilent avec des chiffons sur la tête, sans maquillage, affichant une lèvre inférieure qui semble meurtrie. Les vêtements, en loques, ne sont pas adaptés à la forme du corps et paraissent compliqués.

En 1984, *GQ* résume ainsi l'esthétique japonaise : «La mode japonaise est originale. Les vêtements ne suivent aucune règle. Ils cherchent à abolir la forme. Ils flottent sur les corps en produisant d'étranges silhouettes démesurées. Les couleurs sont pratiquement toujours monochromes ou noires.»

Les critiques de mode peinent à classer le style ou la démarche des créateurs. Certains, pensant qu'il s'agit d'un message politique, parlent de «chic Hiroshima» et de «look post-Hiroshima». D'autres, s'arrêtant à l'aspect inachevé et en loques, l'appellent «le style clochard». Quoi qu'il en soit, son impact sur la mode est indéniable. Le journal *Libération* déclare même que la mode française a trouvé ses maîtres avec les Japonais.

L'idée que se font les Occidentaux de la mode japonaise est complètement remise en question par les collections de Kawakubo et de Yamamoto qui ne font aucune référence à leur culture. C'est la première fois que Paris est confronté à une telle polémique.

La frénésie qui accueille ces collections fait oublier qu'il existe des précédents et un

Les créateurs de l'avant-gardisme japonais ont un impact retentissant sur le monde de la mode au début des années 1980. Leur style intellectuel, déconstruit et enveloppant, apporte une bouffée d'air frais en cette période où le carriérisme, la monotonie, l'image du corps et les épaules surdimensionnées dominent leur temps.

contexte favorable. Les créateurs japonais sont présents dans la mode occidentale depuis la fin des années 1960. Kenzo Takada, Hanae Mori et Issey Miyake présentent régulièrement des collections à Paris depuis 1977.

Miyake, en particulier, est un visionnaire qui combine avant-garde artistique, savoir-faire hors pair et tradition vestimentaire japonaise. Par ailleurs, Kawakubo et Yamamoto ont depuis longtemps leur boutique de mode à Tokyo.

Les modes sous-culturelles et subversives permettent de considérer l'avant-gardisme japonais sous un autre angle. Vivienne Westwood et Malcolm McLaren, avec leur griffe punk «Seditionaries», ont déjà usé de la provocation et de la déconstruction dans leurs collections. De fait, le terme «postpunk» s'emploie pour qualifier l'avant-gardisme japonais. Par ailleurs, le néo-romantisme montre un certain parallèle avec les vêtements superposés et enveloppants de la silhouette japonaise (bien que les détails et l'objectif soient différents) et s'exhibe à la même période dans les clubs de Londres et les défilés de Westwood.

Tous ces créateurs font désormais partie du cénacle et leur influence se fait toujours sentir.

← **Rei Kawakubo pour Comme des Garçons, ensemble, 1982. Victoria and Albert Museum, Londres, Angleterre.**
Rei Kawakubo continue à remettre en question les critères occidentaux de la beauté. L'ensemble est déformé à dessein par des trous qui semblent aléatoires, et va à l'encontre de l'objectif même de la mode qui est de mettre en valeur, de flatter et de présenter une image parfaite.

← **Yohji Yamamoto, robe veste et pantalon, 1983. Institut du costume de Kyoto, Kyoto, Japon.**
Le style sans couleur, enveloppant et délibérément déchiré présenté par Yamamoto et Kawakubo à Paris en 1981 scandalise le monde de la mode et remet en question les canons occidentaux de la beauté. Bien que certains le qualifie de révolution, cet étalage de «dénuement conscient» est accueilli avec amusement, effarement et perplexité. Le look est décrit dans des termes réducteurs, comme «style clochard».

AUTRES COLLECTIONS
AUSTRALIE Powerhouse Museum, Sydney
BELGIQUE Mode Museum, Anvers
ESPAGNE Museo del Traje, Madrid
ÉTATS-UNIS The Costume Institute, Metropolitan Museum of Art, New York
FRANCE Musée de la Mode et du Textile, Louvre, Paris
IRLANDE DU NORD Ulster Museum, Belfast
JAPON Musée de la mode de Kobe, Kobe, Japon

punk; néoromantisme; déconstructionnisme

Directoire; hollywoodien; romantisme nostalgique

Le style yuppie

La décennie 1980 met l'accent sur la consommation, la réussite sociale, le conservatisme et les modes dictées par les stylistes, incarnés parfaitement par le yuppie. Au départ, le terme est inventé par les publicitaires pour décrire la nouvelle race de consommateurs que représentent les jeunes cadres dynamiques (*young upwardly mobile professional* d'où vient le mot yuppie) qui portent des vêtements de marque aux larges épaules. Ensuite, yuppie devient synonyme de l'esprit matérialiste sans vergogne de la décennie.

RONALD REAGAN (1911-2004); **MARGARET THATCHER** (1925-); **GIORGIO ARMANI (1934-); RALPH LAUREN (1939-); CALVIN KLEIN (1942-); THIERRY MUGLER (1948-)**

consommation; symbole de statut social; stylistes; épaulettes; carriériste; matérialisme; *Dress for Success*

Le yuppie mise tout sur les apparences. Il veut montrer qu'il a de l'argent et de l'influence, que c'est un gagnant. Le yuppie rêve de vivre dans un intérieur minimaliste élégant, noir, gris et blanc, équipé de meubles de marque et de gadgets high-tech. Il possède une voiture de sport achetée pour la «frime». Après le travail, il ne va pas au café, comme tout le monde, mais dans un bar à vins.

Le yuppie est ambitieux et intransigeant. Sa tenue en est le reflet. Les hommes portent une forme exacerbée du costume de ville classique : les revers sont plus marqués, les épaules plus larges et les vestes sont croisées. C'est une silhouette qui rappelle le sur-mesure des années 1930. Les femmes, influencées dans les pays anglo-saxons par le livre de John Molloy *Dress for Success* (s'habiller pour gagner) qui dicte la façon de s'habiller pour aller travailler, adoptent elles aussi une tenue de jeune cadre dynamique, espérant réussir aussi bien que les hommes en singeant leurs codes vestimentaires.

Les tailleurs féminins s'inspirent des costumes masculins. La silhouette est linéaire et droite afin de gommer les attributs féminins. Les vestes sont croisées et à large revers. Les jupes sont droites et arrivent au genou. Les couleurs se limitent à du bleu marine et du beige ou bien sont vives, comme le bleu roi et le rouge. Les épaulettes, qui donnent à la silhouette une forme triangulaire, sont incontournables. Ce sont elles, d'ailleurs, qui symbolisent la mode yuppie des années 1980.

L'avènement du yuppie s'explique par des circonstances sociopolitiques très particulières. L'élection, au Royaume-Uni, de Margaret Thatcher pour le Parti conservateur et de son homologue idéologique, Ronald Reagan, aux États-Unis, s'inscrivent dans une période de prospérité économique soutenue.

→ **Giorgio Armani, tailleurs-pantalons, 1985-1989. Institut du costume de Kyoto, Kyoto, Japon.**
Parallèlement à l'ascension du yuppie se développe une nouvelle branche de l'industrie de la mode : la griffe. Calvin Klein, Ralph Lauren et bien d'autres fonctionnent comme des instruments marketing évolués qui vendent la panoplie complète du consommateur des années 1980 qui veut s'afficher. La griffe devient un symbole de statut social et porter des vêtements de marque est une façon de faire savoir qu'on a réussi, ce qui est l'objectif majeur de tout yuppie. Giorgio Armani, le styliste milanais, est à l'avant-garde de cette tendance et ses costumes et ses tailleurs amples à larges épaules sont adoptés par les hommes et les femmes sûrs d'eux.
Armani, homme d'affaires avisé, profite de sa notoriété et de son image emblématique pour lancer rapidement une foule de produits et de gammes qui portent son nom.

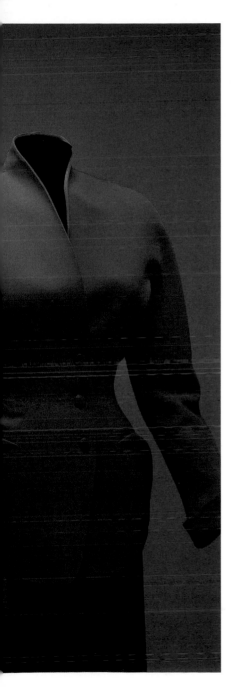

Le contexte est favorisé par les allégements fiscaux du secteur privé et la diminution des aides de l'État. Margaret Thatcher déclare en effet que chaque individu doit s'occuper de sa propre protection sociale et que tout ce qu'on désire est à notre portée, il suffit simplement de travailler dur pour l'obtenir. La mode yuppie symbolise parfaitement ce nouveau conservatisme.

Cependant, la tendance yuppie ne touche pas uniquement les conseils d'administrations et les cadres de Wall Street. Les magasins qui, d'ordinaire, vendent des modes de courte durée à un public de jeunes opposés à l'ordre établi, visent également le groupe des yuppies à travers des gammes et des campagnes de publicité ciblées.

← **Thierry Mugler, ensemble, début des années 1980. The Costume Institute, Metropolitan Museum of Art, New York, États-Unis.**
Le styliste français Thierry Mugler est le premier à utiliser le tailleur à épaulettes qui deviendra le symbole de la mode des années 1980. Les vêtements sont géométriques et audacieux. Ils représentent une féminité exacerbée qui sera adoptée par le courant dominant.

AUTRES COLLECTIONS
ANGLETERRE Gallery of Costume, Platt Hall, Manchester; Victoria and Albert Museum, Londres
AUSTRALIE National Gallery of Victoria, Melbourne; Powerhouse Museum, Sydney
ÉTATS-UNIS Arizona Costume Institute, Phoenix Art Museum, Phoenix, Arizona; Los Angeles Country Museum of Art, Los Angeles, Californie

Savile Row; utilitaire; retour au classique

mode révolutionnaire; néoclassicisme; déconstructionnisme

La mode grunge trouve son origine dans la scène musicale du même nom à Seattle. C'est un style sans finesse ni artifice mais abordable, et qui peut être vu comme une réaction aux yuppies et à l'importance exagérée donnée à l'argent dans les années 1980. Toutefois, ce qui s'annonce comme un style de la contre-culture intègre rapidement le courant dominant. C'est la première mode réellement représentative des années 1990.

MARC JACOBS (1963-); **COURTNEY LOVE** (1964-); **STEVEN MEISEL** (1954-); **ANNA SUI** (1964-); **KURT COBAIN** (1967-1994); **CHRISTIAN FRANCIS ROTH** (1969-)

Nirvana; magazine *Sassy*; «génération X»; commercialisation; appropriation

Le grunge passe rapidement de l'état de sous-culture à celui de mode dominante en 1992. Cela s'explique en grande partie par l'intense promotion des groupes grunge par MTV, et tout particulièrement de Nirvana. Aux États-Unis, le magazine *Sassy* est étroitement lié au développement du grunge et des styles bon marché auprès des adolescentes. Pour ne pas être en reste, Hollywood sort son film grunge *Singles* en 1992. Tout ceci s'ajoute au battage des médias et au soi-disant mécontentement des jeunes de la «génération X» (génération née dans les années 1960-1979).

La tenue grunge type se compose de plusieurs épaisseurs de vêtements débraillés et mal assortis. Hommes et femmes arborent des cheveux longs et plats, des chemises écossaises, des jeans coupés et déchirés par dessus des caleçons longs en Thermolactyl et des bottes de combat ou des Converse All Stars. On recherche aussi des associations incongrues, particulièrement dans les tenues féminines où une robe d'après-midi

↓ **Pull en V ayant appartenu à Kurt Cobain, 1992. Experience Music Project, Science Fiction Museum and Hall of Fame, Seattle, Washington, États-Unis.**
Kurt Cobain est devenu malgré lui le porte-drapeau du mouvement grunge et son style vestimentaire est copié par ses fans et par ceux qui veulent simplement adopter son look débraillé. On le voit porter ce pull sur la couverture du numéro de janvier 1992 du magazine de musique américain *Spin*.

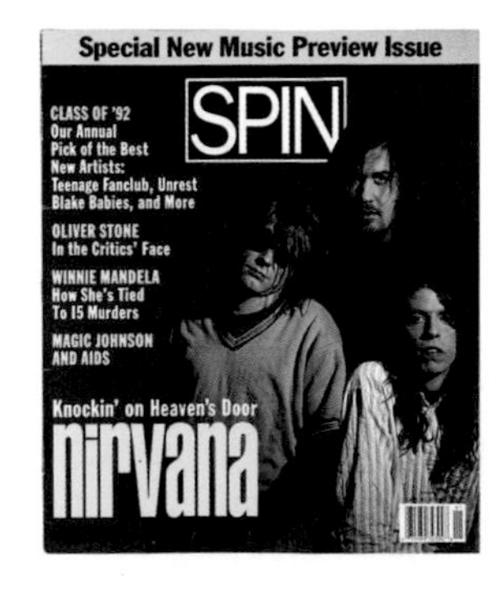

à fleurs peut se combiner avec un jupon en soie vintage, un cardigan trop grand et des grosses bottes.

Le leader du groupe Nirvana, Kurt Cobain, et sa femme Courtney Love deviennent les emblèmes du style grunge. Comme on pouvait s'y attendre, la mode grunge se commercialise avec une rapidité déconcertante. Ce qui était une tendance distincte de la mode dominante passe aux mains de l'establishment. En 1992, les stylistes Anna Sui, Christian Francis Roth et Xuly Bet créent des collections dans le style grunge et, en décembre de la même année, la version américaine de *Vogue*, bastion de la mode conservatrice, publie un article de dix pages sur le grunge. Illustré de photographies de Steven Meisel et intitulé « Grunge & Glory », le dossier de *Vogue* explique à ses lecteurs que le grunge est sorti des clubs et des friperies de Seattle pour conquérir les radios de rock, MTV et tous les jeunes d'Amérique.

En fait, c'est Marc Jacobs, directeur de la création de la maison américaine Perry Ellis, qui fait le plus parler de lui. Il crée la controverse lorsqu'il décide d'utiliser des tissus luxueux pour produire des vêtements vendus généralement dans les friperies. Il présente des caleçons longs en cachemire, des chemises de type « flanelle » en soie lavée, et ses mannequins portent des bottes de combat et des bonnets en crochet enfoncés sur des cheveux plats et sales. La presse spécialisée applaudit et *Women's Wear Daily* le baptise le « gourou du grunge ». Toutefois, c'est un échec commercial retentissant. Les prix exorbitants demandés pour ces fripes de luxe irritent les consommateurs, et il s'en vend très peu. Jacobs est renvoyé. Cette expérience est certes un échec et n'a pas duré, mais elle montre à quel point le grunge influence l'esthétique des années 1990. À partir de 1993, une version plus modérée du grunge est adoptée par des stylistes établis, comme Calvin Klein qui utilise dans ses publicités le mannequin grunge Kate Moss et son look de Cosette.

← Ensemble, date inconnue. Victoria and Albert Museum, Londres, Angleterre.
Le grunge fait appel à des fripes superposées pour donner une allure débraillée. Le style grunge apparaît en réaction aux excès des années 1980. Cet ensemble constitué d'un jeans déchiré, d'une chemise écossaise, de bottes en cuir de parachutiste, d'un pull rayé et d'un tee-shirt en coton est représentatif du style.

AUTRES COLLECTIONS
ANGLETERRE Brighton Museum and Art Gallery, Brighton
ÉTATS-UNIS Rock and Roll Hall of Fame and Museum, Cleveland, Ohio

mode révolutionnaire; punk; néoromantisme; déconstructionnisme

restauration anglaise; Belle Époque; yuppie; consommation et célébrités

Le déconstructionnisme

Cette mode, qui a eu une grande influence sur les années 1990, est étroitement liée au stylisme belge. Le déconstructionnisme laisse de côté les notions classiques attachées à l'habillement et tente de redéfinir le rôle des vêtements, ainsi que la façon de les porter.

MARTIN MARGIELA (1957-); **WALTER VAN BEIRENDONCK** (1957-); **DRIES VAN NOTEN** (1958-); **DIRK BIKKEMBERGS** (1959-); **ANN DEMEULEMEESTER** (1959-); **RICK OWENS** (1962-); **VIKTOR HORSTING** (1969-); **ROLF SNOEREN** (1969-)

mode belge; construction; rôle; conceptuel; surréaliste

Le déconstructionnisme est souvent présenté comme le « démontage et remontage » de vêtements qui laissent voir coutures, ourlets effilochés et éléments intérieurs. Ce style, qui suit la tradition punk et avant-gardiste japonaise, est en fait une remise en question totale des conventions de création, de présentation et d'utilisation des vêtements.

Il apparaît vers la fin des années 1980 et exerce une influence notable sur l'esthétique de la décennie 1990. Le déconstructionnisme est étroitement lié à la mode belge et plus particulièrement aux créations de Martin Margiela. Diplômé de l'Académie royale des beaux-arts d'Anvers, Margiela fait partie d'un groupe de stylistes (avec Ann Demeulemeester, Dries Van Noten, Walter Van Beirendonck et Dirk Beikkembergs) qui lancent leurs propres collections à la fin des années 1980 et donnent à la Belgique une vraie place dans le monde de la mode. Il travaille, à partir de 1984, comme styliste assistant chez Jean-Paul Gaultier et lance sa propre griffe au printemps-été 1988. Elle est aussitôt encensée par la critique. Un des thèmes principaux est le détournement et le recyclage : il s'agit de partir d'un objet et de le transformer en autre chose. Par exemple, des gants en cuir deviennent un corsage bain-de-soleil, des ballerines un sac de soirée, des socquettes militaires un pull, des assiettes brisées un gilet. De vieux vêtements hétéroclites sont démontés et les parties sont assemblées pour former un nouvel habit. Certaines collections explorent la technique du trompe-l'œil des surréalistes, d'autres jouent plutôt sur les proportions et les dimensions.

Margiela, qui cultive le « culte de l'impersonnalité », est surnommé « le J.D. Salinger de la mode ». C'est un styliste « anonyme » célèbre qui, au lieu de se mettre en avant comme auteur de ses créations, les attribue au collectif *Maison Martin Margiela*. Elles portent de simples étiquettes blanches où aucun indice de provenance n'est indiqué.

Les vêtements de Margiela interpellent les intellectuels. Ils sont présentés sous forme d'installations dans les galeries d'art, sont révérés par les connaisseurs de la mode et remettent sans cesse en question les pratiques du métier.

Cela n'empêche pas la *Maison Martin Margiela* de connaître le succès commercial et de s'intégrer parfaitement dans le système. La société appartient à Renzo Russo (fondateur de Diesel) et possède une multitude de magasins dans le monde entier. Elle apparaît souvent dans la presse, présente ses collections deux fois par an et a accordé une licence de production pour celles-ci à plusieurs sociétés.

En tant que tradition vestimentaire, les principes du déconstructionnisme influencent toujours les créateurs de mode de la fin du XXe et du XXIe siècles, notamment Viktor et Rolf (Viktor Horsting et Rolf Snoeren), Rick Owens et Jun Takahashi de Undercover.

← **Martin Margiela, veste, 1997.**
Institut du costume de Kyoto, Kyoto, Japon.
Cette veste est la réplique d'un patron de Stockman, le pionnier des modèles de tailleurs utilisés à la fin du XIXe siècle. C'est une réflexion sur la mode et sur les objets liés à celle-ci. Elle symbolise la passion et sur la fascination de Margiela pour l'art de la couture. Il utilise le détournement cher aux surréalistes, où un objet ou une image est représenté complètement hors contexte, et remet en question le traitement de la silhouette féminine et les idéaux standardisés de l'industrie de la mode.

↙ **Ann Demeulemeester, tailleur-pantalon, 1993.**
Powerhouse Museum, Sydney, Australie.
Ann Demeulemeester est diplômée de l'Académie royale des beaux-arts d'Anvers, et fait partie du «groupe des Six d'Anvers» grâce auquel la mode belge se fait connaître dans le monde entier. Les collections présentées à la semaine de la mode de Londres en 1988 sont encensées par la presse. Demeulemeester prêche le style au détriment de l'ornement, ce que traduit parfaitement ce tailleur emblématique de ses créations. Il est subtilement déconstruit, la silhouette androgyne est mince, le tissu est volontairement froissé et la couleur est sourde.

AUTRES COLLECTIONS
ANGLETERRE Victoria and Albert Museum, Londres
AUSTRALIE National Gallery of Victoria, Melbourne
BELGIQUE Modemuseum, Hasselt; Mode Museum, Anvers
ÉTATS-UNIS The Costume Institute, Metropolitan Museum of Art, New York; Los Angeles County Museum of Art, Los Angeles, Californie
IRLANDE DU NORD Ulster Museum, Belfast
PAYS-BAS Centraal Museum, Utrecht
SUÈDE Moderna Museet, Stockholm

surréalisme; avant-gardisme japonais; punk; grunge

néoclassicisme; yuppie; consommation et célébrités

Le postmodernisme

Alors que le modernisme se caractérise par la logique et par la simplicité afin de se démarquer du passé, le postmodernisme abandonne le style linéaire pour adopter l'éclectisme, la parodie et le mélange des cultures.

KARL LAGERFELD (1938-);
FRANCO MOSCHINO (1950-1994)

pluralisme; pastiche; parodie; mélange des cultures; fragmentation; bricolage

Le postmodernisme est un concept assez flou. Le terme signifie « qui suit le modernisme » et le style devrait, en théorie, rejeter les longs récits, les hiérarchies sociales, la différence entre les niveaux culturels et les institutions autocrates. Au lieu de cela, la période postmoderne se caractérise par le pluralisme et la fragmentation. La mode, surtout à partir des années 1960, reflète bien ces deux particularités.

En effet, le style de la période postmoderne est dynamique, hétérogène, démocratique et n'est lié à aucune culture en particulier. Il n'y a plus une mode unique, mais plusieurs modes qui coexistent. Un guide des modes printemps-été 2009, publié dans l'édition britannique de *Vogue*, décrit une multitude de tendances fortes. Les pantalons sont minces et sur mesure ou bien ressemblent à des pyjamas. Ils sont serrés ou bien amples. Les tissus à la mode sont variés et sont entre autres métalliques, transparents ou d'inspiration africaine. Les couleurs vont du neutre aux tons les plus vifs. Tout semble être à la mode.

La diversité des styles proposés au consommateur montre la fin des hiérarchies anciennes où la mode autocrate ne parvenait aux masses qu'après avoir servi l'élite. Aujourd'hui, la mode puise à toutes les sources d'inspiration : un style urbain, une sous-culture, un genre musical, une période historique ou, en raison de la mondialisation rapide, une culture venant d'ailleurs.

Le bricolage qui consiste à recombiner des styles existants pour en produire un nouveau est une pratique courante, aussi bien chez les individus que chez les créateurs de mode. La conception d'une tenue à partir d'éléments incongrus et l'emploi de symboles culturels sans tenir compte de leur signification réelle la prive de sens et crée de nouveaux codes. Le pillage incessant du passé, bien que lié au bricolage, est une pratique différente. Il peut viser le pastiche ou la parodie. Les critiques considèrent que la cannibalisation aléatoire des modes du passé a engendré une culture où la créativité s'est tarie et où la nouveauté n'existe plus, mais on pourrait dire la même chose des crinolines de Worth et du new-look de Dior.

D'autres caractéristiques du postmodernisme s'expliquent par certains développements tangibles de l'industrie de la mode. La prolifération des publications consacrées à la mode et à sa consommation, les nouvelles techniques de production, plus rapides, la vitalité des magasins de vêtements, l'apparition de magazines destinés aux sous-cultures et l'impact d'Internet produisent un système où les styles se diffusent rapidement et où règnent l'appropriation, la diversité, le mélange des cultures et la nostalgie.

← **John Galliano pour Christian Dior, robe et veste, 2000. Arizona Costume Institute, Phoenix Art Museum, Phoenix, Arizona, États-Unis.**
Les créations de John Galliano, que ce soit sous sa propre griffe ou pour Christian Dior, dont il est le directeur de la création, puisent à diverses sources. Il pratique une forme de bricolage et peut, dans une même collection, juxtaposer des éléments incongrus. Sa vision, résolument postmoderne, fusionne les niveaux culturels, mélange les références historiques et recontextualise les costumes nationaux et traditionnels au sein de la haute couture. La silhouette de cette robe en mousseline de soie coupée en biais rappelle les tenues hollywoodiennes à la mode dans les années 1930. L'impression du tissu imite le jeans usé et fait référence à l'élégance naturelle du Wild West. Les détails en métal de la veste évoquent les grosses attaches utilisées par les rappeurs.

↓ **Karl Lagerfeld pour Chanel, ensemble, 1991. Fashion Museum, Bath, Angleterre.**
Karl Lagerfeld, directeur de la création chez Chanel depuis 1983, est un postmoderne typique qui aime fusionner les niveaux culturels dans ses collections. La tenue présentée ici est un clin d'œil postmoderne au tailleur Chanel classique en tweed. La veste, qui est devenue un symbole de respectabilité bourgeoise, est en laine mélangée à du lurex rose et la jupe est en jeans, toile la plus utilitaire qui soit. Bien que pour certains, l'emploi de tissus (relativement) bon marche et communs dans une collection Chanel soit un sacrilège, Lagerfeld se conforme en fait à la tradition instaurée par Coco Chanel elle-même qui transformait les vêtements de sport en tenues haute couture.

AUTRES COLLECTIONS
ANGLETERRE Brighton Museum and Art Gallery, Brighton Victoria and Albert Museum, Londres
AUTRICHE Wien Museum, Vienne
ÉTATS-UNIS Museum of Art, Rhode Island School of Design, Providence, Rhode Island
ITALIE Galleria del Costume, Palazzo Pitti, Florence
SUÈDE Nordic Museum, Stockholm

surréalisme; vintage

moderne; futurisme; avant-gardisme japonais

Le minimalisme

Étroitement lié au modernisme, le minimalisme correspond à une esthétique intemporelle qui conjugue élégance et dépouillement. C'est une tendance récurrente de la mode des XXe et XXIe siècles. Suivant la tradition établie par Coco Chanel, Claire McCardell et Jean Muir, un certain nombre de stylistes minimalistes se font remarquer au cours de la décennie 1990.

CALVIN KLEIN (1942-); **JIL SANDER** (1943-); **SHIRIN GUILD** (1946-); **HELMUT LANG** (1956-)

réducteur; sobre; intellectuel; fonctionnel

Les épaulettes, les vêtements de marque et l'absence de goût résument (et caricaturent) les années 1980. La décennie 1990 corrige ces excès en choisissant une esthétique sobre et intellectuelle à l'opposé du «m'as-tu-vu» des dix années précédentes. Parallèlement au grunge débraillé et à l'austérité intellectuelle du déconstructionnisme, le minimalisme vestimentaire se développe.

Suivant la tradition moderniste, le minimalisme prône une esthétique sobre et fonctionnelle. Cependant, sa rigueur et son côté intellectuel le distinguent des lignes classiques suivies par certains créateurs. Le raffinement et l'élégance du sur-mesure masculin sont intégrés à l'esthétique féminine. Les couleurs sont neutres ou sourdes, pour ne pas effacer la coupe (ou la personne) et les ornements inutiles sont bannis.

Jil Sander est étroitement liée au style minimaliste et ses créations des années 1990 témoignent de son grand savoir-faire : elle conçoit de merveilleux vêtements qui n'ont besoin d'aucun ornement pour se distinguer. Alors qu'elle est installée en Allemagne, Sander décide de se lancer à Paris en 1993 et fait ainsi preuve de beaucoup d'assurance. Ses vêtements arborent des lignes sobres qui

mettent leur coupe en valeur. En 2000, sa griffe connaît pourtant des difficultés et elle tente de revenir au style minimaliste qui a fait son succès. Depuis 2005, et sous la direction du styliste belge Raf Simons, les vêtements de Jil Sander ont retrouvé leur excellente réputation d'autrefois.

Le styliste autrichien Helmut Lang, dont les créations penchent parfois vers le déconstructionnisme, est cependant un minimaliste typique. Il qualifie son travail de «non référentiel». Ses vêtements se caractérisent par une silhouette fine, la juxtaposition de matières incongrues et parfois résolument synthétiques (comme du ruban réfléchissant) et un aspect androgyne. Ils sont représentatifs du minimalisme des années 1990.

Shirin Guild, ensemble en lin, 1996.
Victoria and Albert Museum, Londres, Angleterre.
Shirin Guild occupe, depuis 1990, une place à part dans le monde de la mode minimaliste. Elle intègre des détails des tenues masculines traditionnelles de son pays natal, l'Iran, produisant ainsi un style original. Cet ensemble qui enveloppe le corps est formé de vêtements carrés et en forme de «T». Il est fabriqué dans un lin de la plus belle qualité dans des tons de gris sourds. Le pantalon, recouvert d'un jupon-tablier, rappelle les tenues superposées que les paysans iraniens utilisent pour se protéger du froid.

Calvin Klein, robe de ville «Bernadette», 1996.
Victoria and Albert Museum, Londres, Angleterre.
Calvin Klein, souvent appelé «le maître du minimalisme», est fidèle depuis 1990 à son approche «moins on en fait, mieux c'est». L'intérêt de cette robe tient dans la coupe et le tissu. Les lignes simples, la silhouette élégante et l'absence d'ornement est représentatif de l'esthétique minimaliste.

AUTRES COLLECTIONS
AUSTRALIE Powerhouse Museum, Sydney
AUTRICHE Modesammlung des Historischen Museums, Vienne
BELGIQUE Mode Museum, Anvers
CANADA Costume Museum of Canada, Winnipeg
ÉTATS-UNIS The Museum at the Fashion Institute of Technology, New York
IRLANDE DU NORD Ulster Museum, Belfast

rationalisme; moderne; déconstructionnisme

Belle Époque; néo-édouardien; rococo

LE XXIe SIÈCLE

Introduction

Au XXIe siècle, la mode est hétérogène et change à un rythme effréné. C'est la première fois qu'elle touche autant de monde. Ceci s'explique par la dissolution des hiérarchies sociales, la révolution de la communication avec l'utilisation massive d'Internet, la disparition des barrières commerciales internationales et la réactivité des méthodes de production due aux avancées technologiques.

Internet; mondialisation; magasin de mode; pluralisme

Historiquement, et tout particulièrement dans les années 1960, le XXIe siècle, tel qu'il est imaginé dans les films, dans la littérature et dans les médias, est une société technologiquement évoluée où les humains vivent aux côtés de robots. La nourriture est remplacée par des pilules et les vêtements ne sont plus soumis à des modes, mais reflètent les progrès de la science. La réalité est plus prosaïque et, pendant la première décennie de ce nouveau siècle, la mode n'est que l'évolution logique des tendances apparues vers la fin du XXe siècle.

L'adoption généralisée d'Internet par l'industrie et par les consommateurs a un énorme impact sur l'évolution de la mode au XXIe siècle. C'est le premier outil qui permet aux individus de participer de façon réellement démocratique au commerce et à la culture de la mode. N'importe qui peut créer son blog, se joindre à une discussion sur un forum, diffuser son magazine en ligne ou fonder sa société et vendre ses créations.

En Angleterre, les magasins de vêtements illustrent cette évolution rapide de la mode. Considérés pendant longtemps comme le parent pauvre de l'industrie de la confection, ils connaissent depuis dix ans une réelle transformation. Les commerces qui ne suivaient aucune tendance, et où on allait lorsqu'on n'avait pas les moyens de faire autrement, sont devenus partie intégrante du marché de la mode, secteur éminemment respecté et fiable. Ils fournissent, avec une extrême rapidité et à des prix raisonnables, les vêtements recherchés par une population très au fait des dernières tendances. Cette transformation s'explique par plusieurs facteurs : l'innovation technologique, la disparition des hiérarchies obsolètes, l'avènement de publications consacrées à ce segment du marché et les efforts marketing bien ciblés des magasins eux-mêmes. La marque anglaise « Topshop » a été à l'avant-garde de ce renouveau. Toutefois, le fait que toutes ces modes se propagent partout à grande vitesse et à moindre coût présente un inconvénient. En effet, la mode d'aujourd'hui est si variée et change à un rythme si rapide qu'on l'accuse de s'essouffler et de se standardiser. Il n'est plus possible de se démarquer de la mode parce que nous vivons à une époque où règne le « tout et n'importe quoi ».

Alors que, durant la deuxième moitié du XXe siècle, on assiste au renforcement progressif des modes alternatives qui défient l'ordre établi et déclenchent des polémiques, on n'observe rien de tel depuis le début du XXIe siècle. La vitesse à laquelle tout mouvement sous-culturel est identifié et récupéré par une industrie insatiable efface son impact et accélère encore le rythme auquel la mode évolue.

← **Rebecca Earley, ensemble fabriqué en matières recyclées, 2006. The Crafts Council Collection, Londres, Angleterre.**
Le gaspillage intrinsèque, la mauvaise utilisation des ressources et la surconsommation provoqués par l'industrie de la mode sont critiqués autant par les gens du sérail que par ceux de l'extérieur. Les créateurs et les fabricants commencent à s'intéresser à ces problèmes et, au XXIe siècle, on assiste à une augmentation marquée du nombre d'entreprises de mode écologiques. Cette veste venant de l'exposition de mode écologique « Well Fashioned : Eco Style in the UK » est fabriquée en matières recyclées. Le but du projet est de voir comment la mode peut être stylée, bien conçue et écologique tout en essayant de prévoir comment elle peut évoluer et s'intégrer à l'industrie.

↓ **Louis Vuitton, sac de voyage « Speedy », 2001. Powerhouse Museum, Sydney, Australie.**
Ce sac de voyage Louis Vuitton classique à monogramme est recouvert de graffitis en peinture argentée. C'est le résultat de la collaboration entre l'artiste new-yorkais Stephen Sprouse et le directeur de la création de Vuitton, Marc Jacobs. Les sacs à main de marque connaissent un succès phénoménal et représentent un marché extrêmement lucratif pour les maisons de couture qui ont pratiquement toutes sorti de nouveaux modèles pour répondre à la demande des consommateurs. Des campagnes de marketing astucieuses se sont emparées de ce phénomène et une photographie montrant une star tenant un sac de telle marque assure le succès de ce dernier. Le « Speedy » est devenu le sac incontournable de 2001 et les ventes auraient atteint plus de trois cents millions de dollars.

COLLECTIONS CLÉS

ANGLETERRE Victoria and Albert Museum, Londres
BELGIQUE Mode Museum, Anvers
ÉTATS-UNIS Los Angeles County Museum of Art, Los Angeles, Californie; The Costume Institute, Metropolitan Museum of Art, New York
JAPON Institut du costume de Kyoto, Kyoto

Le rôle d'Internet

Internet a révolutionné le commerce et la culture de la mode. Celle-ci s'achète, se fait connaître et devient l'objet de débat de la façon la plus démocratique qui soit, quel que soit son âge, sa ville, sa position sociale et l'expérience qu'on a du sujet.

NATALIE MASSENET (1965-); NICK ROBERTSON (1968-); SCOTT SCHUMAN (1968-); SUSIE BUBBLE (SUSANNA LAU) (1984-)

progrès technologique; accessibilité; commerce électronique; innovation; démocratisation; blog sur la mode

Le progrès technologique est le catalyseur qui a transformé la mode, autrefois réservée à l'élite, en un plaisir accessible à tous. La révolution industrielle, liée aux avancées de la production textile, autorise la fabrication en série des vêtements. Les améliorations, tant au niveau de la rapidité que de la qualité, ainsi que la baisse des coûts de production de l'impression au rouleau, jouent un rôle déterminant dans la diffusion et l'accélération du rythme de la mode. Avec le développement des matières synthétiques, au début du XXe siècle, la mode devient abordable et accessible pour le plus grand nombre. L'évolution du cinéma, de la télévision et de la musique ont un effet direct sur la façon dont s'habille le consommateur moyen. Cependant, c'est depuis le développement d'Internet que l'on observe des changements majeurs dans le commerce et la culture de la mode.

Au départ, les détaillants bien établis voient d'un mauvais œil le développement de la vente en ligne. La considération selon laquelle l'achat de vêtements est une expérience sensuelle et qu'il est nécessaire avant de les acquérir de pouvoir les toucher, de les essayer et de les voir en trois dimensions, freine l'essor du commerce en ligne à ses débuts. Toutefois, c'est ce secteur qui connaît la progression la plus forte et la plus rapide, tant au niveau de l'Internet que de l'économie de la mode. En 2009, Nielsen Online (une société d'études de marchés) précise qu'au cours du dernier trimestre 2008, les secteurs de la maison et de la mode ont augmenté cinq fois plus sur Internet que dans n'importe quelle autre activité comparable. Par ailleurs, les magasins souffrent des coûts de plus en plus élevés de la distribution traditionnelle alors que le commerce de la mode en ligne connaît une croissance régulière.

Ce succès est dû à une politique marketing innovante, à une expérience d'achat agréable pour les consommateurs, à une grande facilité d'accès et au côté démocratique que représentent les courses faites sur Internet. Le client n'est plus soumis ni à l'influence ni au jugement des vendeurs, et le processus est relativement anonyme. La livraison est très rapide, on peut essayer les vêtements chez soi et les retourner s'ils ne conviennent pas (le plus souvent gratuitement). Le choix est immense, les prix sont compétitifs, les progrès dans la qualité des images et les possibilités de zoom permettent d'examiner les articles de près. Pour le consommateur, le graphisme attrayant des sites est aussi agréable à regarder que son magazine favori. La place d'Internet dans l'économie de la mode est si importante que le détaillant qui connaît la plus grosse croissance au Royaume-Uni est une société qui ne possède aucune boutique et n'existe qu'en ligne : asos.com.

Internet a également démocratisé la participation du consommateur à la culture de la mode. Celle-ci n'est plus imposée par une élite à un public passif à travers la presse écrite ou la télévision. Le blog permet à tout un chacun de créer son propre site Web et de faire partager ses préférences vestimentaires,

ses découvertes et ses remarques. Il donne la parole aux oubliés des médias traditionnels. Les sites les plus populaires, comme Style Bubble (créé par Susie Bubble), Garance Dore, Facehunter et Sartorialist de Scott Schuman, ont un large public de fidèles et sont respectés par l'industrie de la mode car ils fournissent une vision originale et actualisée des tendances contemporaines.

Détaillant de mode en ligne net-a-porter.com
Fondé en 2000 par Natalie Massenet, net-a-porter.com est à l'avant-garde des détaillants de la mode sur Internet. Le site connaît un succès phénoménal. Il est encensé par la version britannique du magazine *Vogue* pour qui il «révolutionne la manière d'acheter des vêtements de marque». Ainsi, net-a-porter.com prouve qu'on peut vendre des vêtements de luxe sur Internet et continuer à innover et à dominer ce segment du marché.

SITES INTERNET
MODE CÉLÉBRITÉS ET MANNEQUINS gofugyourself.celebuzz.com; thecoolhunter.net
SITES DE COMMERCE ÉLECTRONIQUE asos.com; auregane.com; jeanpaulgaultier.com; net-a-porter.com; topshop.com
MODE ET ART showstudio.com
FORUMS forum.purseblog.com
MAGAZINES EN LIGNE elle.fr; style.com; vogue.fr
BLOGS PERSONNELS kingdomofstyle.typepad.co.uk; stylebubble.typepad.com
MODE URBAINE facehunter.blogspot.com; garancedore.fr; thesartorialist.blogspot.com

industrie de l'habillement; production en série; consommation et célébrités

mode révolutionnaire; Arts and Crafts, football casual

Consommation et célébrités

Les célébrités sont les icônes de la mode de l'époque postmoderne. Le schéma traditionnel selon lequel le plus grand nombre cherchait à imiter les modes créées et portées par la classe supérieure n'existe plus. De nos jours, on aspire à ressembler aux célébrités.

CATHY MCGOWAN (1943-); **GIANNI VERSACE** (1946-1997); **ELIZABETH HURLEY** (1965-); **SARAH JESSICA PARKER** (1965-); **ASHLEY OLSEN** (1986-); **MARY-KATE OLSEN** (1986-)

postmoderne; émulation; aspiration; ère des «people»; Coolspotters; cautionner

Nous vivons à l'ère des «people». Les célébrités nous fascinent et nous voulons tout savoir sur les endroits où elles vont, sur ce qu'elles font et sur les personnes qu'elles fréquentent. Dans le même temps, elles influencent nos habitudes de consommation. Cela se traduit notamment par le goût obsessionnel du public pour la mode portée par les célébrités.

Certains ont su tirer un avantage commercial de cette fascination qu'exercent les «people». Sur Internet, on trouve des sites comme As Seen On Screen (asos.com), spécialisé dans la vente de copies de vêtements et de tenues originales portées par les célébrités. Coolspotters (coolspotters.com) n'est pas vraiment un site de vente au détail, mais il regroupe les produits, les marques et les modes portés par certaines célébrités ou par les personnages qu'elles incarnent. Des magazines spécialisés sont consacrés à la mode des vedettes et commentent leur style tout en expliquant point par point comment l'imiter. Les courriers des lecteurs croulent sous les demandes d'adresses de magasins où on peut se procurer les tenues portées par les célébrités. Les stylistes sont parfaitement conscients de l'influence que celles-ci exercent sur leurs propres créations et cherchent à établir des liens stratégiques avec celles qui ressemblent le plus à l'image qu'ils souhaitent projeter.

Les vedettes ne se contentent pas de cautionner des produits en tournant des publicités ou en portant des vêtements d'un styliste particulier (leur manque d'expérience dans la mode ne les empêche pas d'empocher des gains substantiels). Beaucoup d'entre elles ont décidé de créer leur propre marque.

Certaines célébrités ont la réputation d'avoir bon goût et exploitent leur look vestimentaire sans trop abuser de la crédulité des consommateurs, comme Sarah Jessica Parker et sa gamme « Bitten » vendue dans les magasins américains bon marché Steve and Barry's, et les jumelles Ashley et Mary-Kate Olsen avec leur marque « The Row ». D'autres, au contraire, sont assez éloignées de la mode, même si elles sont parfois bien habillées. C'est le cas de Jennifer Lopez et de sa marque « Sweetface » ou de Mandy Moore et de sa gamme « Mblem ».

Si l'on observe une utilisation accrue des célébrités pour promouvoir des produits, le XXIe siècle n'est pas le seul à avoir connu ce phénomène. En effet, Hollywood et les stars des années 1930 ont exercé une énorme influence sur les modes de l'époque. Les studios vantaient les copies des tenues en vogue et les magazines spécialisés qui expliquaient comment imiter les styles vus à l'écran étaient populaires. Dans les années 1960, les tenues portées par Cathy McGowan, présentatrice de l'émission musicale britannique « Ready Steady Go! » étaient copiées dans les moindres détails par les jeunes filles, à tel point qu'elle décida de créer sa propre gamme de vêtements.

← Gianni Versace, robes du soir, 1996
→ et printemps-été 1991. The Costume Institute, Metropolitan Museum of Art, New York, États-Unis.
On peut dire sans exagérer que Gianni Versace, conscient de la fascination, de la fièvre et de l'attraction commerciales que suscitent les célébrités, est un exemple de la vénération de l'industrie de la mode pour les vedettes. Pour ses défilés, il remplit les premiers rangs de visages connus et emploie des célébrités comme top models. Ses créations, résolument sexys, sont portées par des gens célèbres ou qui le deviennent grâce à elles (comme Elizabeth Hurley arrivant à la première du film de son compagnon Hugh Grant dans une robe Versace tenue par des épingles à nourrice qui fait la une des journaux). Il utilise dans ses publicités des figures emblématiques telles que Madonna, Courtney Love, Halle Berry et Britney Spears. La robe présentée à droite a été créée pour la chanteuse superstar américaine Tina Turner.

AUTRES COLLECTIONS
ANGLETERRE Fashion Museum, Bath; Gallery of Costume, Platt Hall, Manchester; Victoria and Albert Museum, Londres
AUSTRALIE Powerhouse Museum, Sydney
ÉTATS-UNIS Chicago History Museum, Chicago, Illinois
ITALIE Galleria del Costume, Palazzo Pitti, Florence

hollywoodien; postmodernisme; relance des marques

bloomer; utilitaire; avant-gardisme japonais

La relance des marques

Les coûts énormes qu'implique la création d'une nouvelle griffe ajoutés à la tendance rétro caractéristique de l'ère post-moderne entraînent depuis une dizaine d'années un regain d'intérêt pour les marques disparues ou en perte de vitesse. Le mouvement, qui a véritablement démarré après la nomination de Tom Ford chez Gucci en 1994, s'est considérablement accéléré depuis le début du millénaire.

ALBER ELBAZ (1961-); **TOM FORD** (1961-); **BELLA FREUD** (1961-); **NICOLAS GHESQUIÈRE** (1971-); **PHILIP LIM** (1973-); **OLIVIER THEYSKENS** (1977-); **CHRISTOPHER KANE** (1982-)

tradition; marketing; pedigree; retombées; nostalgie

Depuis ces dix dernières années, on observe une tendance marquée au retour de griffes autrefois prestigieuses. Ce phénomène s'explique facilement : pourquoi se lancer dans une nouvelle entreprise alors qu'on peut capitaliser sur la tradition d'une marque disparue? C'est ce qu'ont choisi de faire les puissants et habiles conglomérats qui contrôlent aujourd'hui une grande partie de l'industrie de la mode. Ils ont ainsi racheté et relancé plusieurs griffes. Dans un marché hautement concurrentiel, où la majorité des entreprises nouvellement créées disparaissent dans les dix-huit mois, ce mécanisme astucieux permet de réduire les risques et de bénéficier aussitôt de la cote d'estime, de la tradition et du capital culturel d'une marque établie au pedigree prestigieux. Ainsi, il est inutile de recourir au battage publicitaire pour lancer la griffe et les retombées sont immédiates.

Cette technique est utilisée avec plus ou moins de succès. Ceux qui y ont recours respectent généralement les traditions de la société d'origine même s'ils ne s'y identifient pas totalement. Les deux facteurs clés sont

l'innovation et la pertinence. Parmi ceux qui ont réussi, on peut citer Alber Elbaz, nommé directeur de la création chez Lanvin en 2001, qui a transformé une institution parisienne plutôt guindée en une des maisons les plus vénérées du XXIe siècle. La nomination du moderniste Nicolas Ghesquière au poste de directeur de la création chez Balenciaga a elle aussi redonné vie à une maison de couture qui était une des plus influentes de la place de Paris. Quant au jeune créateur belge Olivier Theyskens, il a relancé avec succès Rochas en 2005, puis Nina Ricci en 2007.

Mais pour chaque réussite, on déplore de nombreux échecs. Handicapée par l'attachement des Britanniques à la marque originale, Biba n'a pu être ressuscitée, en dépit de nombreuses tentatives. L'opération de sauvetage de 2006, avec Bella Freud aux commandes, a ignoré l'esprit de la marque d'origine qui proposait une mode de courte durée destinée aux adolescents. Son pastiche à prix élevés n'a réussi à convaincre ni la presse ni les consommateurs. Biba a dû, une fois de plus, être abandonnée.

Cette tendance à la relance de marques anciennes pèse sur l'avenir de l'industrie de la mode et sur la place qui sera faite aux nou-

velles griffes. Mais, de nouveau stylistes tentent aussi de se distinguer sur ce marché difficile. Christopher Kane, Rodarte et Philip Lim, entre autres, représentent la constance dans la nouveauté dans un secteur de plus en plus empreint de nostalgie.

← **Alber Elbaz pour Lanvin, robe de soie, 2005. Fashion Museum, Bath, Angleterre.**
La nomination d'Alber Elbaz au poste de directeur de la création chez Lanvin assure une des plus grandes réussites de relance de marque du XXIe siècle. Ses créations font référence aux traditions de la maison, sans pour autant tomber dans la nostalgie. Avec cette robe de soie, il définit un style moderne rappelant les modèles à taille basse qui ont fait le succès de Jeanne Lanvin dans les années 1920.

→ **Tom Ford pour Gucci, costume, 1996-1997. The Costume Institute, Metropolitan Museum of Art, New York, États Unis.**
Tom Ford est un grand styliste, doué d'un sens aigu du commerce. Il réussit à relancer la maison Gucci dans les années 1990 et définit un modèle qui sera maintes fois repris par la suite : prendre un nom établi, installer un jeune styliste qui se voue corps et âme à sa tâche, et mettre au point une campagne qui lui donne une pertinence sur le marché de la mode contemporain.

AUTRES COLLECTIONS
ÉTATS-UNIS Arizona Costume Institute, Phoenix Art Museum, Phoenix, Arizona; Los Angeles County Museum of Art, Los Angeles, Californie
FRANCE Musée de la Mode et du Textile, Louvre, Paris
IRLANDE DU NORD Ulster Museum, Belfast
ITALIE Galleria del Costume, Palazzo Pitti, Florence

yuppie; postmodernisme; consommation et célébrités

tenues de cérémonie; surréalisme; utilitaire

Le style vintage

Les magasins de vêtements d'occasion, autrefois fréquentés par les gens modestes et la contre-culture, subissent une transformation à la fin des années 1990. Ils s'intègrent dans le courant dominant de la mode sous un nouveau concept : le vintage.

KENI VALENTI (1958-); **KIRA JOLLIFFE** (1972-); **BAY GARNETT** (1973-); **KATE MOSS** (1974-); **CAMERON SILVER** (1969-)

récupération par le courant dominant; expression personnelle; fin connaisseur; *Cheap Date*; archives

L'apparition du vintage comme alternative crédible aux vêtements neufs (vers le milieu des années 1990 et jusqu'à la fin de la décennie) fait partie d'un mouvement plus vaste qui rejette la mode dominante (supposée uniforme) et qui encourage les individus à s'exprimer à travers leurs tenues (la personnalisation ou « customisation » est une des tendances parallèles). Le fait de porter des vêtements vintage montre qu'on est un fin connaisseur de la mode et qu'on aime se distinguer.

Cette idée est renforcée par la presse spécialisée. Les magazines en papier glacé (consacrés en général à la mode dernier cri et onéreuse) chantent les louanges du vintage. De nombreux guides pratiques, expliquant où trouver les magasins de vêtements vintage et comment porter ces derniers, apparaissent

en librairie. Un nouveau magazine dédié au vintage est lancé par les spécialistes de la mode Bay Garnett et Kira Jolliffe, *Cheap Date*, qui présente la culture de la fripe dans un style impertinent et branché.

Le vintage est en outre cautionné par les plus grandes icônes de la mode actuelle, dont Kate Moss, ce qui agit comme un catalyseur sur l'adoption massive de ce style. Les tendances inspirées du vintage influencent le courant dominant. La griffe «Kate Moss» vendue dans les magasins Topshop repose sur des éléments emblématiques de sa propre garde-robe.

Une version édulcorée (et chère) du vintage est proposée aux consommateurs habitués à faire leurs courses dans les boutiques de marque et qui ne veulent pas se salir les mains ni perdre leur temps à fouiller parmi les fripes à la recherche de bonnes occasions. Decades Inc, à Los Angeles, appartient à l'ancien artiste de cabaret Cameron Silver et s'adresse à la clientèle d'Hollywood. À Paris, Didier Ludot propose du vintage haute couture. Keni Valenti, qui fut lui-même styliste, est devenu le «roi du vintage» de New York.

Afin de profiter de la tendance vintage en plein essor, les détaillants proposent des articles de ce style dans leurs magasins traditionnels. Topshop, d'Oxford Street, possède un rayon spécialisé vintage et, en 2008, offrait même à ses clients, une gamme limitée de vêtements emblématiques de marques des années 1960 et 1970. Par ailleurs, des grands magasins, comme Liberty à Londres et le Printemps à Paris, ont des rayons spécialisés en vintage de luxe. Les magasins bon marché séparent eux-mêmes à présent les vêtements vintage du reste.

La mode a depuis toujours une tendance nostalgique et remet régulièrement au goût du jour les styles du passé. Cependant, le succès du vintage est tel qu'il influence le processus de création et la production de nombreuses maisons de mode importantes. Ces dernières années, certains stylistes, profitant du précieux héritage de leur maison de couture, se réfèrent aux archives privées dont ils disposent pour reproduire des tenues «classiques» d'autrefois. C'est le cas d'Yves Saint Laurent et de Balenciaga, qui ont lancé des collections sur ce thème. Les magasins vintage spécialisés (comme Saratoga Trunk à Glasgow et Twentieth Century Vintage Fashion dans le Devon) sont une source d'inspiration pour les stylistes. De nos jours, les foires-expositions vintage font partie de l'agenda du monde de la mode, au même titre que les défilés de prêt-à-porter biannuels et les salons commerciaux de textiles.

← **Decades Inc, robes vintage, intérieur de la boutique, Melrose Avenue, Los Angeles, Californie, États-Unis.**
Fondé en 1997 par Cameron Silver, le magasin vintage haute couture Decades Inc de Los Angeles propose un stock sans équivalent de vêtements immaculés de grands couturiers comme Chanel et Nina Ricci, tels que ceux représentés ici. La boutique a changé l'image des vêtements vintage à Hollywood et a fourni ces dernières années les plus belles robes vintage portées par les célébrités et abondamment photographiées et copiées.

AUTRES COLLECTIONS

Les musées, dont le rôle est de conserver les costumes du passé, sont remplis de vêtements que l'on pourrait qualifier de «vintage». Toutefois, le terme ne peut s'appliquer car il se réfère à des comportements de consommation. C'est pourquoi aucune liste de musées n'est proposée pour cette catégorie. Nous fournissons à la place les adresses de quelques boutiques réputées et reconnues de vêtements vintage et qui sont ouvertes au public.

ANGLETERRE Virginia Antiques, 98 Portland Road, Londres
ÉTATS-UNIS Keni Valenti Retro Couture, West 29th Street, New York; Resurrection, Mott Street, New York
FRANCE Didier Ludot, Galerie Montpensier, Jardins du Palais-Royal, Paris

relance des marques; romantisme nostalgique; postmodernisme; consommation et célébrités

tenues de cérémonie; moderne, déconstructionnisme

La mort de la haute couture

L'industrie de la haute couture parisienne, élitiste et strictement contrôlée, est créée officiellement en 1864 par Charles Frederick Worth. En 1939, elle compte soixante-dix membres. Il n'en reste plus que onze aujourd'hui qui, pour la plupart, fonctionnent à perte. Les statistiques montrent que ce qui fut le secteur le plus influent de l'industrie de la mode est sur le point de disparaître. Toutefois, les rumeurs sur la mort de la haute couture sont très exagérés et celle-ci continue à jouer un rôle dans l'économie de la mode, même si celui-ci est moins important qu'autrefois.

VALENTINO GARAVANI (1932-);
YVES SAINT LAURENT (1936-2008);
JOHN GALLIANO (1960-)

Chambre syndicale de la haute couture; diversification; octroi de licence; identité de marque; maison Lesage

La haute couture représente le sommet de l'industrie de la mode. Elle est synonyme de savoir-faire et de sur-mesure. Elle est strictement contrôlée par la Chambre syndicale de la haute couture, qui en choisit les membres et leur impose différentes règles : deux collections par an; cinquante créations nouvelles et originales de vêtements de ville et de soirée par collection; des créations sur mesure pour des particuliers avec au moins un ou deux essayages; une équipe composée d'au moins vingt salariés à plein temps dans leur propre atelier parisien. En outre, tout doit être fabriqué en interne, et à la main.

Cependant, ce qui fut un secteur florissant et essentiel de l'économie de la mode est en nette perte de vitesse depuis les années 1950. Les prix très élevés, l'aspect concurrentiel et diversifié du marché ainsi que les règles strictes imposées aux couturiers font qu'il ne reste plus que onze maisons de haute couture officiellement inscrites en 2009, et quatre membres correspondants (ou étrangers) d'importance secondaire. Par ailleurs, le départ à la retraite d'Yves Saint Laurent en 2002, suivi de celui de Versace en 2003, d'Emmanuel Ungaro en 2004, puis de Valentino en 2008, ne font qu'ajouter aux craintes persistantes des observateurs de la mode : la haute couture n'en a plus pour longtemps.

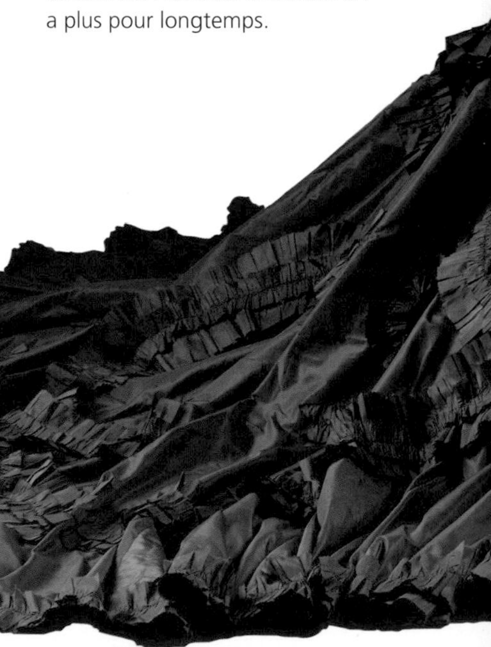

← **John Galliano, robe du soir pour Christian Dior, collection printemps-été, 1998. The Costume Institute, Metropolitan Museum of Art, New York, États-Unis.**
La nomination de John Galliano au poste de directeur de la création de la maison Christian Dior en 1997 redonne un peu de souffle à la haute couture parisienne. Cette magnifique robe du soir en taffetas de soie noir est représentative de son goût pour le théâtral, le romantisme et les détails historiques.

Ces préoccupations n'ont rien de nouveau. Déjà, en 1964, le magazine britannique *Queen* publie un faux avis de décès des maisons Balenciaga et Givenchy, indiquant que cette industrie terne, vieillotte et hors de prix n'a rien à apporter à la femme moderne à une époque où la mode est dictée par la jeunesse. Certes, en devenant pluraliste, la mode n'est plus imposée par l'élite. Toutefois, la haute couture évolue de façon pertinente et fait preuve, comme toujours, d'une grande résistance économique qui lui permet de traverser d'autres bouleversements culturels.

Les stylistes diversifient leurs produits et, partant, leurs sources de revenus. Ils ne dépendent plus du marché restreint et non rentable de la haute couture. Les collections de prêt-à-porter et l'octroi de licences d'utilisation des noms de couturiers pour les parfums, les lunettes, les bas et les foulards autorisent les maisons à conserver leur activité de haute couture et à renforcer leur identité de marque, tout en transmettant un peu de leur glamour à des produits plus abordables destinés au grand public.

Il est néanmoins réducteur de voir la haute couture comme un simple outil marketing sophistiqué. Elle est garante de la conservation et de la promotion de métiers et de techniques qui disparaîtraient sans elle et sans la main-d'œuvre qualifiée formée à l'École de la Chambre syndicale de la haute couture. Parmi les industries associées, on retrouve la fabrication d'articles en plumes, de gants, de chapeaux, de rubans, de broderies (notamment la maison Lesage) et de boutons. Mais, plus important encore, il existe toujours un marché pour la haute couture, même s'il est aujourd'hui limité, et c'est lui qui permet d'assurer la pérennité de ce secteur vital pour l'industrie de la mode dans son ensemble.

← **Robe Boudicca, 2006. The Museum at the Fashion Institute of Technology, New York, États-Unis.**
Alors que de nombreuses maisons de couture disparaissent sans que personne ne vienne clairement les remplacer, la Chambre syndicale de la haute couture cherche le moyen d'enrayer ce déclin. En 2007, elle invite un certain nombre de maisons extérieures à participer à la Semaine de la mode haute couture à Paris. Boudicca, la griffe avant-gardiste des stylistes londoniens Zowie Broach et Brian Kirkby, est la première maison de mode indépendante invitée officiellement.

AUTRES COLLECTIONS

ANGLETERRE Victoria and Albert Museum, Londres
AUSTRALIE Powerhouse Museum, Sydney
AUTRICHE Wien Museum, Vienne
ESPAGNE Museo del Traje, Madrid
FRANCE Musée de la Mode et du Textile, Louvre, Paris

new-look ; débuts de la haute couture

rationalisme ; moderne ; production en série ; utilitaire

La mondialisation

La mondialisation est un phénomène économique, politique et culturel. La mode, qui est l'une des industries les plus puissantes du monde, est à la fois le catalyseur de ce phénomène et l'expression matérielle de son développement.

PHILIP KNIGHT (1938-); DRIES VAN NOTEN (1958-); MATTHEW WILLIAMSON (1971-)

Organisation mondiale du commerce; concurrence; impérialisme culturel; multinationale; homogénéisation

Le terme mondialisation se rapporte à la disparition des frontières entre les États dans le but de créer une économie et une culture globales. En théorie, nous sommes tous, aujourd'hui, citoyens du monde. Ceci a pu être réalisé grâce au démantèlement des barrières commerciales des différents pays (encadré depuis 1995 par l'Organisation mondiale du commerce). La mondialisation est le résultat du développement de sociétés multiculturelles, de moyens de déplacements accrus, de la révolution des réseaux de communication et de l'apparition d'Internet, de la publication des mêmes magazines dans de nombreux pays et de la diffusion de programmes de télévision internationaux.

La demande soutenue de vêtements bon marché et le besoin incessant de nouveautés en matière de mode a stimulé le développement, à l'échelle mondiale, d'un système de fabrication et de distribution concurrentiel et ingénieux. Les entreprises de mode délocalisent de plus en plus leurs sites de production afin de réduire leurs coûts de fabrication. Même si cela renforce l'économie mondiale et favorise le commerce des pays en voie de développement, les critiques constatent que la tendance itinérante des grandes sociétés de mode empêche une véritable globalisation. Il existe un déséquilibre intrinsèque des pouvoirs entre les économies émergentes et les puissantes entreprises de mode, généralement occidentales, dont elles dépendent pour se développer. Les emplois sont précaires et le souci sans cesse croissant de réduire les coûts entraîne la plupart du temps des conditions de travail pénibles.

Les effets de la mondialisation sont également visibles sur la consommation de la mode. Produits et marques ne sont plus limités à un seul lieu et il est évident que les griffes multinationales de vêtements (et leurs contrefaçons) sont à présent disponibles comme jamais auparavant. Si on veut acheter des tennis Nike, un sac Marc Jacobs ou un polo Lacoste, on peut le faire n'importe où. Ce qui fait dire à certains que les cultures locales sont en train d'être remplacées par une esthétique occidentale homogénéisée, créant par là même une nouvelle forme d'impérialisme culturel. Mais cela supposerait une suprématie de ces marques et la réceptivité aveugle des cultures non occidentales face à la puissance des multinationales. Or, les vêtements sont adoptés et assimilés d'une façon qui est propre à chaque culture.

La mondialisation a également accéléré la tendance, ancienne en Occident, visant à intégrer dans la haute couture des tenues venues d'ailleurs.

En 2007, le styliste britannique Matthew Williamson (dont les collections s'adressent à une jeune

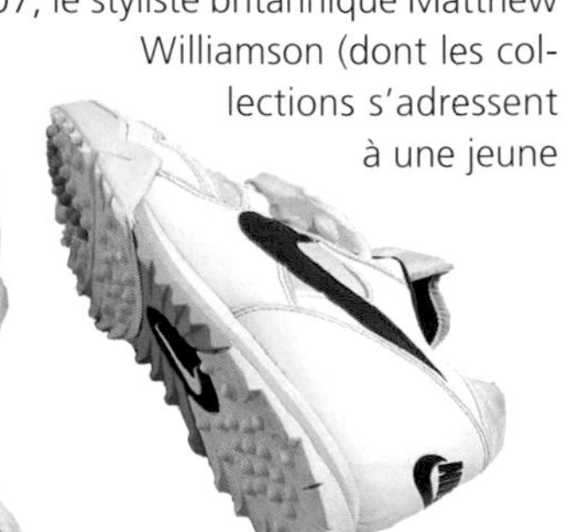

fille moderne qui voyage dans le monde entier) est critiqué par un représentant du bureau de la propriété intellectuelle éthiopien pour avoir utilisé une tenue traditionnelle de son pays dans sa collection printemps-été 2008.

→ **Dries Van Noten, ensemble, 2007, The Museum at the Fashion Institute of Technology, New York, États-Unis.**
Le styliste belge Dries Van Noten est diplômé de l'Académie royale des beaux-arts d'Anvers. Son travail est une vision poétique et personnelle de la mode des cultures du monde entier, qu'il intègre à ses collections d'une manière subtile et respectueuse.

↙ **Chaussures de cricket en cuir Nike, 1995. Powerhouse Museum, Sydney, Australie.**
Nike, fondé en 1964 par Phil Knight, est devenu une des marques de sport les plus appréciées et reconnues du monde entier. Elle représente aussi pour beaucoup les travers de la mondialisation. Toutefois, il est aussi prouvé que, pour la fabrication de ses produits dans les pays en voie de développement (comme l'Indonésie, d'où viennent ces chaussures), Nike offre de meilleurs salaires et conditions de travail que les entreprises du pays. Il n'en demeure pas moins que Nike ne délocalise pas par altruisme, mais pour tenter encore et toujours de réduire ses coûts de fabrication.

AUTRES COLLECTIONS
ANGLETERRE Fashion Museum, Bath; Victoria and Albert Museum, Londres
BELGIQUE Mode Museum, Anvers
ESPAGNE Museo del Traje, Madrid
ÉTATS-UNIS Los Angeles County Museum of Art, Los Angeles, Californie
IRLANDE DU NORD Ulster Museum, Belfast
JAPON Musée de la mode de Kobe, Kobe

exotisme; orientalisme; rôle d'Internet

débuts de la haute couture; esthétisme; Arts and Crafts

RÉFÉRENCES

Répertoire

A

Adam Ant (Stuart Goddard) (1954-)
Néoromantisme

Adrian, Gilbert (1903-1959)
Hollywoodien

Alaïa, Azzedine (1940-)
Consommation et célébrités

Albert, prince d'Angleterre (1819-1861)
Tenues de cérémonie

Albini, Walter (1941-1983)
Retour au classique

Alexandra, reine d'Angleterre (1824-1925)
Belle Époque

Anthony, Susan B. (1820-1906)
Bloomer

Armani, Giorgio (1934-)
Yuppie

Ashbee, Charles Robert (1863-1942)
Arts and Crafts

Amies, Hardy (1909-2003)
Utilitaire; new-look

Ashley, Laura (1925-1985)
Romantisme nostalgique

Astaire, Fred (1899-1987)
Hollywoodien

B

Bakst, Léon (1866-1924)
Orientalisme

Balenciaga, Cristobal (1895-1972)
Néovictorien; new-look

Balmain, Pierre (1914-1982)
New-look

Banks, Jeff (1943-)
Boutiques anglaises

Banton, Travis (1894-1958)
Hollywoodien

Bardot, Brigitte (1934-)
Existentialisme

Bates, John (1938-)
Boutiques anglaises

Beaton, Cecil (1904-1980)
Néovictorien; néo-édouardien; existentialisme

Beckham, David (1975-)
Football casual

Beene, Geoffrey (1924-2004)
Retour au classique

Beer, Gustav (dates inconnues)
Directoire

Bertin, Rose (1747-1813)
Débuts de la haute couture

Best, George (1946-2005)
Football casual

Bingenheimer, Rodney (1946-)
Glam

Bikkembergs, Dirk (1959-)
Déconstructionnisme

Birtwell, Celia (1941-)
Romantisme nostalgique

Blahnik, Manolo (1942-)
Consommation et célébrités

Bloomer, Amelia Jenks (1818-1894)
Bloomer

Boateng, Ozwald (1968-)
Savile Row

Bolan, Marc (1947-1977)
Glam

Bonnard, Camille (dates inconnues)
Préraphaélisme

Borg, Björn (1956-)
Football casual

Bowes-Lyon, Elizabeth (1900-2002)
Néovictorien

Bowie, Angie (1949-)
Glam

Bowie, David (1947-)
Glam; néoromantisme

Breton, André (1896-1966)
Surréalisme

Broach, Zowie (dates inconnues)
Mort de la haute couture

Brummel, George Bryan «Beau» (1778-1840)
Dandysme; Savile Row

Bubble, Susie (Susanna Lau) (1984-)
Rôle d'Internet

Burne-Jones, Edward (1833-1898)
Préraphaélisme

Byron, Lord George Gordon (1788-1824)
Romantisme

C

Cady Stanton, Elizabeth (1815-1902)
Bloomer

Callot, Joséphine, Marthe, Marie, et Régina (dates inconnues)
Directoire

Cardin, Pierre (1922-)
Futurisme

Carr, Mrs Joseph Comyns (1850-1927)
Esthétisme

Castelbajac, Jean-Charles de (1949-)
Surréalisme

Chalayan, Hussein (1970-)
Déconstructionnisme

Chanel, Gabrielle «Coco» (1883-1971)
Moderne

Charles II d'Angleterre (1630-1685)
Restauration anglaise

Childers, Leee Black (1945-)
Glam

Choo, Jimmy (1961-)
Consommation et célébrités

Clark, Raymond «Ossie» (1942-1996)
Boutiques anglaises

Cobain, Kurt (1967-1994)
Grunge

Cocteau, Jean (1889-1963)
Surréalisme

Cook, Paul (1956-)
Punk

Cooper, John Paul (1869-1933)
Arts and Crafts

County, Jayne (1947-)
Glam

Courrèges, André (1923-)
Futurisme

Crawford, Joan (1905-1977)
Hollywoodien

Creed, Oliver (1599-1658)
Restauration anglaise

Cromwell, Oliver (1599-1658)
Restauration anglaise

Curtis, Jackie (1947-1985)
Punk

D

Dalí, Salvador (1904-1989)
Surréalisme

Dalton, Hugh (1887-1962)
Utilitaire

Dassler, Adolf «Adi» (1900-1978)
Football casual

David, Louis (1748-1825)
Mode révolutionnaire;
néoclassicisme

Delaunay, Sonia (1885-1979)
Moderne

Demeulemeester, Ann
(1959-) Déconstructionnisme;
rococo;
exotisme;
ethnique

Diaghilev, Serge de (1872-1929)
Orientalisme

Dior, Christian (1905-1957)
New-look

Doucet, Jacques (1853-1929)
Directoire

Duff Gordon, Lucy, lady (1863-1935)
Belle Époque

Du Maurier, George
(1834-1896)
Esthétisme

E

Édouard VII d'Angleterre
(1841-1910)
Belle Époque

Egan, Rusty (1957-)
Néoromantisme

Elbaz, Alber (1961-)
Relance des marques

Emanuel, David (1952-)
Néoromantisme

Emanuel, Elizabeth (1953-)
Néoromantisme

Esterel, Jacques
(1917-1974)
Existentialisme

Eugénie, impératrice
(1826-1920)
Débuts de la haute couture

Evelyn, John (1620-1706)
Restauration anglaise;
baroque

F

Fath, Jacques (1912-1954)
New-look

Ferry, Bryan (1945-)
Glam

Fisher, Alexander
(1864-1936)
Arts and Crafts

Foale, Marion (1939-)
Boutiques anglaises

Fontanges, Marie-Angélique de
(1661-1681)
Baroque;
rococo

Ford, Tom (1961-)
Relance des marques

Fortuny, Mariano
(1871-1949)
Orientalisme;
exotisme

Freud, Bella (1961-)
Relance des marques

G

Gabriel, Alfred Guillaume,
comte d'Orsay (1801-1852)
Dandysme

Galliano, John (1960-)
Mort de la haute couture

Garavani, Valentino (1932-)
Mort de la haute couture

Garnett, Bay (1973-)
Vintage

Gaultier, Jean-Paul (1952-)
Mort de la haute couture

Gernreich, Rudi (1922-1985)
Boutiques anglaises

George, prince de Galles
(1762-1830)
Dandysme

George VI (1895-1952)
Néovictorien

Ghesquière, Nicolas (1971-)
Relance des marques

Gibb, Bill (1943-1988)
Ethnique

Gibson, Charles Dana
(1867-1944)
Belle Époque

Gigli, Roméo (1950-)
Minimalisme

Givenchy, Hubert de (1927-)
New-look

Goldwyn, Samuel
(1882-1974)
Hollywoodien

Gréco, Juliette (1927-)
Existentialisme

Gree, Philip (1952-)
Mondialisation

Grès, Alix (1899-1993)
Moderne

Gucci, Guccio (1881-1953)
Relance des marques

Guild, Shirin (1946-)
Minimalisme

H

Halston Frowick, Roy (1932-1990)
Retour au classique

Harberton, vicomtesse (1843-1911)
Rationalisme

Hartnell, Norman (1901-1979)
Néovictorien; utilitaire

Havilland, Terry De (1938-)
Glam

Haweis, Mary Eliza (1848-1898)
Préraphaélisme

Head, Edith (1897-1981)
Hollywoodien

Hepburn, Audrey (1929-1993)
Existentialisme

Hoffmann, Josef (1870-1956)
Arts and Crafts

Horsting, Viktor (1969-)
Déconstructionnisme

Howe, Elias (1819-1867)
Industrie de l'habillement

Hulanicki, Barbara (1936-)
Boutiques anglaises

Hunt, Walter (1796-1859)
Industrie de l'habillement

Hurley, Elizabeth (1965-)
Consommation et célébrités

I

Iribe, Paul (1883-1935)
Directoire

J

Jacobs, Marc (1963-)
Grunge

Jaeger, Dr Gustav (1832-1917)
Rationalisme

James, Richard (dates inconnues)
Savile Row

Jolliffe, Kira (1972-)
Vintage

Jones, Steve (1955-)
Punk

Jordan (Pamela Rooke) (1955-)
Punk

K

Kane, Christopher (1982-)
Relance des marques

Karan, Donna (1948-)
Yuppie; minimalisme

Kawakubo, Rei (1942-)
Avant-gardisme japonais

Kelly, Orry (1897-1964)
Hollywoodien

King, Emily M. (dates inconnues)
Rationalisme

King, Jessie M. (1875-1949)
Arts and Crafts

Kirkby, Brian (dates inconnues)
Mort de la haute couture

Klein, Calvin (1942-)
Retour au classique; yuppie; grunge; minimalisme

Knight, Philip (1938-)
Mondialisation

L

Lacroix, Christian (1951-)
Mort de la haute couture

Lagerfeld, Karl (1938-)
Postmodernisme

Lang, Helmut (1956-)
Minimalisme

Lanvin, Jeanne (1867-1946)
Hollywoodien

Lauren, Ralph (1939-)
Romantisme nostalgique; yuppie

Le Brun, Louise-Vigée Élisabeth (1755-1842)
Naturalisme

Liberty, Arthur Lasenby (1843-1917)
Préraphaélisme; esthétisme

Lim, Philip (1973-)
Relance des marques

Louboutin, Christian (1963-)
Consommation et célébrités

Louis XIV (1638-1715)
Baroque

Louis XV (1710-1774)
Rococo

Louis XVI (1754-1793)
Mode révolutionnaire

Love, Courtney (1964-)
Grunge

Ludot, Didier (dates inconnues)
Vintage

M

McCardell, Claire (1905-1958)
Moderne

McCartney, Stella (1971-)
Consommation et célébrités

McGowan, Cathy (1943-)
Consommation et célébrités

McInnes, Colin (1914-1976)
Existentialisme

McLaren, Malcolm (1946-)
Punk; néoromantisme

McQueen, Alexander (1969-)
Mort de la haute couture

Margiela, Martin (1957-)
Déconstructionnisme

Marie-Antoinette (1755-1793)
Naturalisme;
mode révolutionnaire

Massenet, Natalie (1965-)
Rôle d'Internet

Matlock, Glen (1956-)
Punk

Meisel, Steven (1954-)
Grunge

Millais, John Everett (1829-1896)
Préraphaélisme

Miyake, Issey (1938-)
Avant-gardisme japonais

Molyneux, Edward (1891-1974)
Utilitaire; new-look

Moore, Mandy (1984-)
Consommation et célébrités

Mori, Hanae (1926-)
Avant-gardisme japonais

Morris, Jane (1839-1914)
Préraphaélisme

Morris, William (1834-1896)
Arts and Crafts

Morton, Digby (1906-1983)
Utilitaire

Moschino, Franco (1950-1994)
Surréalisme;
postmodernisme

Moss, Kate (1974-)
Grunge; vintage

Mugler, Thierry (1948-)
Yuppie

Muir, Jean (1928-1995)
Retour au classique

N

Newbery, Jessie (1864-1948)
Arts and Crafts

Nutter, Tommy (1943-1992)
Savile Row

O

Oberkampf,
Christophe Philippe (1738-1815)
Exotisme

O'Dowd, (Boy) George (1961-)
Néoromantisme

O'Neill, Olive (dates inconnues)
Production en série

Olsen, Ashley et Mary-Kate (1986-)
Consommation et célébrités

Osti, Massimo (1946-2005)
Football casual

Owens, Rick (1962-)
Déconstructionnisme

P

Paquin, Jeanne (1869-1936)
Directoire

Parkinson, Norman (1913-1990)
Néo-édouardien

Patou, Jean (1880-1936)
Moderne; néovictorien

Pepys, Samuel (1633-1703)
Restauration anglaise;
baroque

Perkin, sir William Henry
(1838-1907)
Industrie de l'habillement

Plunkett, Walter (1902-1982)
Néovictorien

Plunkett-Greene, Alexander
(1932-1990)
Boutiques anglaises

Poiret, Paul (1879-1944)
Directoire;
orientalisme

Pompadour, marquise de
(1721-1764)
Rococo

Poole, Henry (1814-1876)
Savile Row

Pop, Iggy (James Osterberg)
(1947-)
Glam

Porter, Thea (1927-2000)
Ethnique

Prada, Miuccia (1949-)
Relance des marques

Pucci, Emilio (1914-1992)
Relance des marques

Q

Quant, Mary (1934-)
Boutiques anglaises

R

Rabanne, Paco (1934-)
Futurisme

Reagan, Ronald (1911-2004)
Yuppie

Récamier, Madame de
(1777-1849)
Néoclassicisme;
Directoire

Rhodes, Zandra (1940-)
Romantisme nostalgique;
punk

Ricci, Nina (1883-1970)
new-look;
relance des marques

Ritter, Lou (dates inconnues)
Production en série

Robertson, Nick (1968-)
Rôle d'Internet

Robespierre, Maximilien de
(1758-1794)
Mode révolutionnaire

Roger, Neil Munro «Bunny»
(1911-1997)
Néo-édouardien

Rossetti, Dante Gabriel
(1828-1882)
Préraphaélisme

Roth, Christian Francis (1969-)
Grunge

Rotten, Johnny (John Lydon)
(1956-)
Punk

Rousseau, Jean-Jacques
(1712-1778)
Naturalisme

Ruskin, John (1819-1900)
Arts and Crafts

Rykiel, Sonia (1930-)
Retour au classique

S

Saint Laurent, Yves (1936-2008)
Existentialisme; ethnique;
retour au classique;
mort de la haute couture

Sander, Jil (1943-)
Minimalisme

Schiaparelli, Elsa (1890-1973)
Surréalisme; néovictorien

Schuman, Scott (1968-)
Rôle d'Internet

Scott, sir Walter (1771-1832)
Romantisme

Shaw, George Bernard (1856-1950)
Rationalisme

Shelley, Mary (1797-1851)
Romantisme

Shepherdson, Jane (1963-)
Mondialisation

Silver, Cameron (1969-)
Vintage

Simons, Raf (1968-)
Déconstructionnisme;
relance des marques

Singer, Isaac Merritt (1811-1875)
Industrie de l'habillement

Sioux, Siouxsie (Susan Ballion)
(1957-)
Punk

Smith Miller, Elizabeth
(1822-1911)
Bloomer

Snoeren, Rolf (1969-)
Déconstructionnisme

Snow, Carmel (1887-1961)
New-look

Soo Catwoman (Soo Lucas)
(1955-)
Punk

Spencer, comte
(1758-1834)
Néoclassicisme

Spencer, lady Diana
(1961-1997)
Néoromantisme

Starke, Frederick (1904-1988)
Production en série

Stephen, John (1934-2004)
Boutiques anglaises

Stiebel, Victor (1907-1976)
Utilitaire

Strange, Steve (Steven
Harrington) (1959-)
Néoromantisme

Sui, Anna (1964-)
Grunge

T

Takada, Kenzo (1939-)
Avant-gardisme japonais

Thatcher, Margaret (1925-)
Yuppie

Theyskens, Oliver (1977-)
Relance des marques

Tuffin, Sally (1938-)
Boutiques anglaises

Ungaro, Emmanuel (1933-)
Futurisme; mort de la haute
couture

Valenti, Keni (1958-)
Vintage

Van Beirendonck, Walter
(1957-)
Déconstructionnisme

Van Noten, Dries (1958-)
Déconstructionnisme;
mondialisation

Versace, Donatella (1955-)
Consommation et célébrités

Versace, Gianni (1946-1997)
Consommation et célébrités

Vicious, Sid (Simon Ritchie)
(1957-1979)
Punk

Victoria, reine d'Angleterre
(1819-1901)
Tenues de cérémonie

Vionnet, Madeleine
(1876-1975)
Moderne

Vivier, Roger (1913-1998)
New-look

Ward, Mary Augusta (1851-1920)
Esthétisme

Warhol, Andy (1928-1987)
Punk

Watanabe, Junya (1961-)
Avant-gardisme japonais

Watteau, Antoine (1684-1721)
Baroque

Watts, G. F. (1817-1904)
Préraphaélisme

Westwood, Vivienne (1941-)
Punk; néoromantisme

Wilde, Oscar (1854-1900)
Dandysme; esthétisme

Wilde, Constance (1858-1898)
Esthétisme

Williamson, Matthew (1971-)
Mondialisation

Winterhalter, Franz Xaver
(1805-1873)
Néovictorien

Wolfe, Tom (1931-)
Dandysme

Worth, Charles Frederick
(1826-1895)
Naissance de la haute couture

Worth, Gaston (1853-1924)
Naissance de la haute couture

Yamamoto, Kansai (1944-)
Glam

Yamamoto, Yohji (1943-)
Avant-gardisme japonais

A

Atelier
Espace de travail du créateur de haute couture.

B

Biais
Coupe en diagonale par rapport aux droits-fils du tissu permettant à celui-ci de s'étirer afin d'épouser la forme du corps. Cette technique perfectionnée par Madeleine Vionnet est très à la mode dans les années 1930.

Bloomer
Pantalon court bouffant généralement resserré au-dessus du genou.

Blouse
Vêtement ample.

Bricolage
Combinaison de différents styles dans le but d'en créer un nouveau.

Brocart
Tissu épais fabriqué sur un métier jacquard permettant de créer des dessins compliqués en relief.

C

Caftan
Longue tunique sans col et à manches amples originaire d'Afrique du Nord et du Moyen-Orient. Le caftan devient populaire comme vêtement d'intérieur et de loisir vers la fin des années 1960 et pendant la décennie 1970.

Canons
Ornements du vêtement masculin constitués de plusieurs rubans ou de volants en dentelle portés aux genoux.

Chaîne
Fils courant dans le sens de la longueur du tissu qui se croisent avec ceux de la trame.

Chambre syndicale de la haute couture
Organisme contrôlant le système de la haute couture parisienne. Fondée par Charles Frederick Worth en 1868, elle s'assure que ses membres se conforment aux règles strictes qui définissent les normes de la haute couture.

Chinoiserie
Interprétation européenne du style «chinois» fondée sur un Orient imaginaire et mythique.

Cloche
Forme de chapeau généralement fabriqué en feutre qui connaît son heure de gloire dans les années 1920.

Col Peter Pan
Petit col plat à pointes arrondies.

Colorant d'aniline
Colorant artificiel dérivé de l'indigo mis au point par William Perkin en 1856 et qui produit des couleurs plus vives que celles provenant de teintures animales ou végétales traditionnelles.

Corset
Sous-vêtement à armatures en fanons de baleine, en métal ou en bois que l'on resserre avec des lacets. Il symbolise la silhouette des années 1800 bien qu'il ait été déjà en usage auparavant. Au XVIIIe siècle le corset s'appelle «corps à baleines» en France.

Crinoline
Mot dérivé de crin (de cheval) et de lin, la crinoline est au départ un long jupon fabriqué dans ces matières. La crinoline à panier apparaît dans les années 1850. Elle est à l'origine de la silhouette

excessivement large à la mode au milieu du XIXe siècle.

D

Drapier
Marchand de tissus et d'articles de couture.

E

Empire
Style de robe où la ceinture est placée au-dessous de la poitrine. Celui-ci doit son nom à l'impératrice Joséphine qui l'a popularisé sous l'Empire (1804-1814).

F

Façon tailleur
Vêtement fabriqué pour une personne donnée, selon ses critères de choix. La façon tailleur est apparue au XVIIIe siècle à Savile Row à Londres. Le terme « sur mesure » est souvent employé comme synonyme, bien que techniquement ce type de coupe s'élabore à partir d'un patron contrairement à la façon tailleur où n'existe aucun modèle.

Fanons de baleine
Fibres cornées de la mâchoire des baleines utilisées comme armature dans les corsets et les crinolines. Leur usage devient si répandu vers le milieu du XIXe siècle qu'il met la baleine en danger d'extinction.

Fermeture Éclair
Fermeture dont le brevet est déposé en 1893. Elle se développe au cours des premières années du XXe siècle. Utilisée au départ pour les poches à tabac et les ceintures porte-monnaie, elle est adoptée par la marine américaine pour leurs vestes coupe-vent. La première styliste à l'employer dans ses créations est Elsa Schiaparelli.

G

Garçonne
Silhouette féminine tubulaire à poitrine plate extrêmement populaire dans les années 1920.

Gigot
Type de manches longues et bouffantes au niveau de l'épaule, se rétrécissant au niveau du coude et serrées au poignet. Le volume du haut de la manche varie suivant les modes.

Gros-grain
Étoffe à tissage serré et à grosses côtes. Fabriqué au départ en soie, le gros-grain est employé pour les rubans et la passementerie.

H

Haute couture
Secteur prestigieux de la mode parisienne strictement contrôlé par la Chambre syndicale de la haute couture. Cette dernière édicte des règles strictes auxquelles les membres doivent se conformer.

J

Jabot
Cascade de volants, de broderies ou de fine lingerie fixée au col d'une robe ou d'une tenue et qui descend sur la poitrine.

Jupe entravée
Jupe ample qui se resserre au niveau de l'ourlet du bas et qui oblige les femmes à faire des petits pas. La jupe entravée est lancée par Paul Poiret et devient populaire avant la Première Guerre mondiale.

L

Loi somptuaire
Limite fiscale imposée à certains groupes ou classes sociales relative à la possession d'articles et de vêtements de luxe.

Lyon
Capitale de l'industrie de la soie française à partir du XVIIIe siècle.

M

Marchande de mode
Fournisseuse de passementeries qui a une grande influence sur la mode jusqu'au XIXe siècle. La plus célèbre est Rose Bertin qui devient la principale conseillère de mode de Marie-Antoinette.

Mousseline
Tissu uni généralement en coton existant en différentes textures. Elle est importée pour la première fois en Europe depuis Mossoul (Irak) au XVIIe siècle, puis est fabriquée en Angleterre et en France.

N

Nylon
Lancé en 1939 par la société de produits chimiques américaine DuPont, le nylon est le nom générique d'une fibre synthétique composée d'une longue chaîne de polyamides.

P

Panier
Structure portée sur les hanches au-dessous de la jupe pour donner du volume à celle-ci. Les paniers sont en vogue à partir des années 1720 jusqu'à la Révolution française de 1789.

Patron
Modèle de vêtement fabriqué en tissu bon marché par un couturier afin de vérifier son dessin et la structure du vêtement.

Poignet mousquetaire
Poignet qui se replie sur lui-même et que l'on ferme au moyen d'un bouton de manchette. En usage pour les chemises d'homme et généralement réservé aux tenues habillées.

Pointe
Écharpe triangulaire ou petit foulard utilisé pour masquer le décolleté et qui est à la mode à la fin du XVIIIe siècle et au début du XIXe siècle.

Prêt-à-porter
Vêtement créé par un styliste et fabriqué en série.

Princesse
Silhouette cintrée dépourvue de coutures à la taille qui apparaît vers le milieu des années 1860 et que Charles Frederick Worth popularise.

R

Redingote
Manteau à longues basques s'arrêtant au genou et comportant un col. Elle fait partie de la tenue de cérémonie masculine au début du XVIIIe siècle et devient un vêtement féminin au début du XIXe siècle.

Robe de chambre
Vêtement d'intérieur porté par les hommes aux XVIIe et XVIIIe siècles inspiré d'une tenue de marchands indiens. Fabriquée au départ en lin d'Inde, elle est ensuite produite surtout en soie, en laine ou en coton. Pour leur portrait, les hommes se font représenter en robe de chambre, symbole de leur rang social élevé.

S

Smocks
Fronces de tissu resserrées ornées de broderies.

Soie artificielle
Tissu en rayonne utilisé à la fin du XIXe siècle et au début du XXe siècle.

Suédine
Tissu synthétique infroissable et lavable en machine qui imite l'aspect du suède et qui devient très à la mode dans les années 1970.

T

Tournure
Rembourrage ou panier employé pour donner du volume à l'arrière d'une jupe, et partant au-dessous de la ceinture. La tournure est à la mode dans la seconde moitié du XIXe siècle.

Trame
Fils courant dans le sens de la largeur du tissu qui se croisent avec ceux de la chaîne.

Tulle
Tissu très léger formé d'un réseau de mailles hexagonales. Fabriqué au départ en soie, le tulle est le plus souvent en nylon au XXe siècle.

W

Watteau
Style de robe-sac à la mode au début du XVIIIe siècle et représenté dans les tableaux du peintre Antoine Watteau qui lui donne son nom.

Chronologie

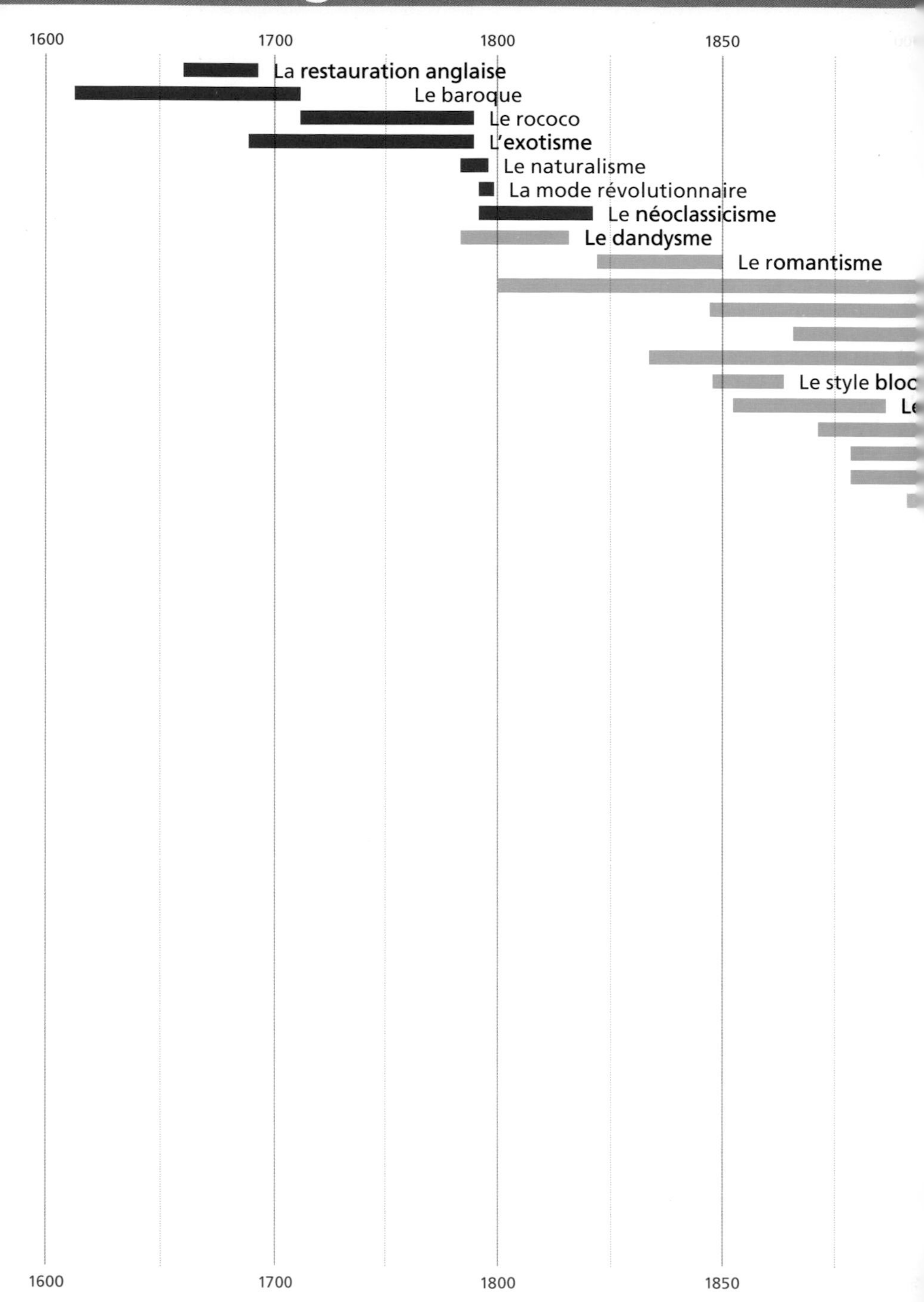
1600
1700
1800
1850
La restauration anglaise
Le baroque
Le rococo
L'exotisme
Le naturalisme
La mode révolutionnaire
Le néoclassicisme
Le dandysme
Le romantisme
Le style bloc
1600
1700
1800
1850

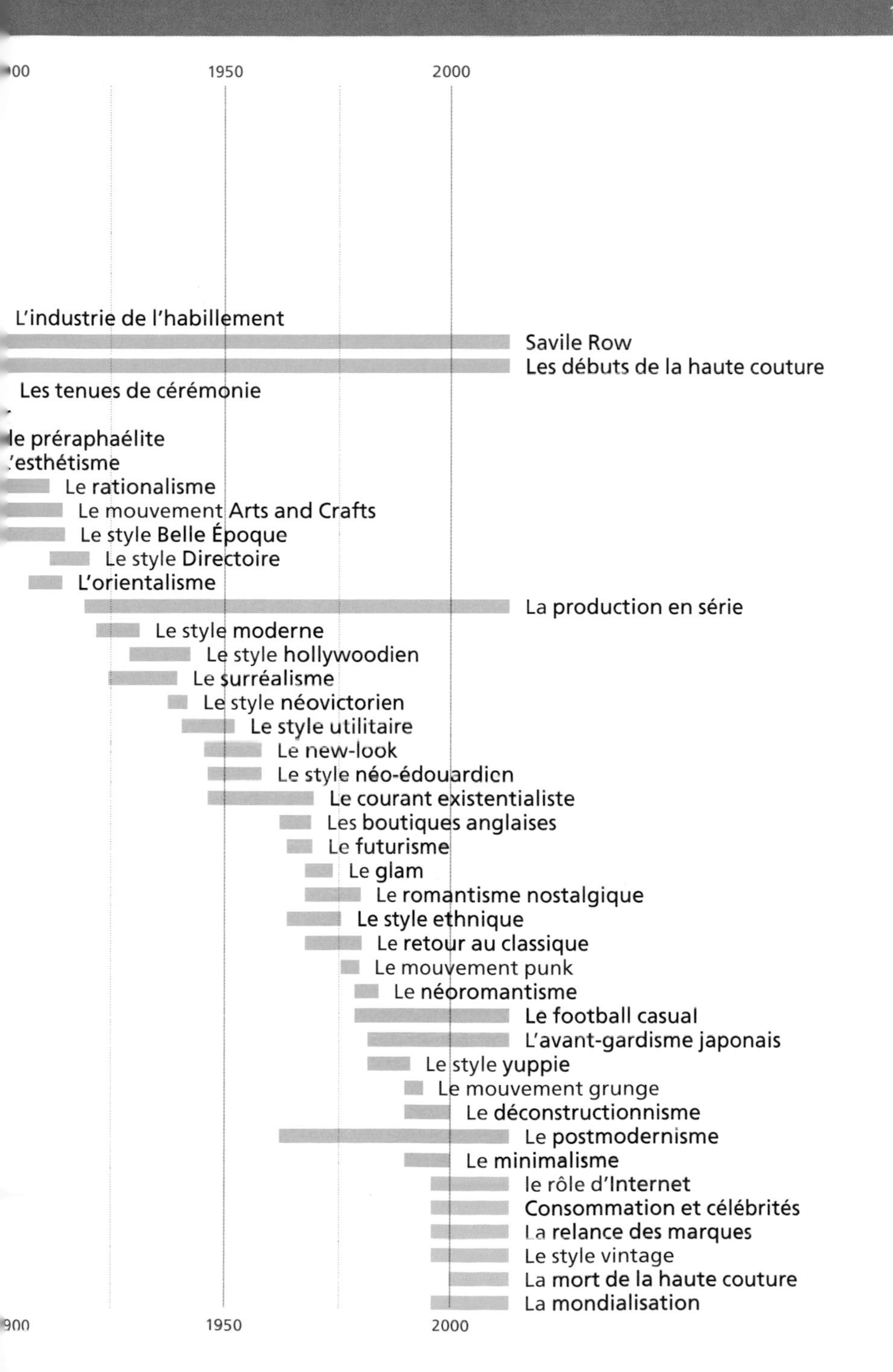

900
1950
2000
L'industrie de l'habillement
Savile Row
Les débuts de la haute couture
Les tenues de cérémonie
le préraphaélite
'esthétisme
Le rationalisme
Le mouvement Arts and Crafts
Le style Belle Époque
Le style Directoire
L'orientalisme
La production en série
Le style moderne
Le style hollywoodien
Le surréalisme
Le style néovictorien
Le style utilitaire
Le new-look
Le style néo-édouardien
Le courant existentialiste
Les boutiques anglaises
Le futurisme
Le glam
Le romantisme nostalgique
Le style ethnique
Le retour au classique
Le mouvement punk
Le néoromantisme
Le football casual
L'avant-gardisme japonais
Le style yuppie
Le mouvement grunge
Le déconstructionnisme
Le postmodernisme
Le minimalisme
le rôle d'Internet
Consommation et célébrités
La relance des marques
Le style vintage
La mort de la haute couture
La mondialisation
1900
1950
2000

Musées à visiter

ALLEMAGNE
Darmstadt Institut Mathildenhöhe; **Hambourg** Museum für Kunst und Gewerbe; **Munich** Bayerisches Nationalmuseum

ANGLETERRE
Bath Fashion Museum; **Birmingham** Birmingham Museum and Art Gallery; **Bradford** Bradford Industrial Museum; **Brighton** Brighton Museum and Art Gallery; **Bristol** Bristol City Museum and Art Gallery; **Exeter** National Trust, Killerton House; **Guildford** Watts Gallery, Compton; **Hull** Ferens Art Gallery; **Liverpool** Walker Art Gallery; **Londres** Geffrye Museum; Imperial War Museum; Museum of Childhood; Museum of London; National Portrait Gallery; Tate Britain; Victoria and Albert Museum; The William Morris Gallery; **Manchester** Gallery of Costume, Platt Hall; **Nottingham** Abington Park Museum ; **Walsall** Walsall Museum; **Warrington** Warrington Museum and Art Gallery; **Whitby** Whitby Literary and Philosophical Society; **Worthing** Worthing Museum and Art Gallery; **York** York Castle Museum

AUSTRALIE
Melbourne National Gallery of Victoria; **Sydney** Powerhouse Museum

AUTRICHE
Musée autrichien des arts appliqués de **Vienne**; Kunsthistorisches Museum; Modesammlung des Historischen Museums; Wien Museum

BELGIQUE
Anvers Mode Museum; **Hasselt** Modemuseum

CANADA
Montréal Musée McCord d'histoire canadienne; **Toronto** Textile Museum of Canada; **Winnipeg** Costume Museum of Canada

CHILI
Santiago Museo de la Moda

CHINE
Musée du textile de **Nantong**

ÉCOSSE
Aberdeen Art Gallery and Museum; **Dumfries** National Museum of Costume, Shambellie House; **Édimbourgh** National Museum of Scotland; **Glasgow** Hunterian Museum and Art Gallery

ESPAGNE
Guetaria Fundación Balenciaga; **Madrid** Museo del Traje

ÉTATS-UNIS
Boston Museum of Fine Arts; **Chicago** Chicago History Museum; **Cleveland** Rock and Roll Hall of Fame and Museum; **Columbus** Ohio State University Historic Costume and Textiles Collection; **Indianapolis** Indiana State Museum; **Los Angeles** The Fashion Institute of Design and Merchandising; Los Angeles County Museum of Art; **Madison** State Historical Society of Wisconsin; Wisconsin Historical Museum; **New York** The Bard Graduate Center for Studies in the Decorative Arts, Design, and Culture; Brooklyn Museum; Cornell Costume and Textile Collection, Cornell University, Ithaca; The Costume Institute, Metropolitan Museum of Art; The Museum at the Fashion Institute of Technology; Museum of the City of New York; **Orlando** Hard Rock Cafe; **Philadelphie** Drexel Historic Costume Collection, Drexel University; Philadelphia Museum of Art; **Phoenix** Arizona Costume Institute, Phoenix Art Museum; **Providence** Museum of Art, Rhode Island School of Design; **Seattle** Experience Music Project, Science Fiction Museum and Hall of Fame; **Seneca Falls** Seneca Falls Historical Society Archive Collection **Washington** National Museum of American History, Smithsonian Institution; Textile Museum

FINLANDE
Galerie nationale finlandaise d'**Helsinki**; Musée de l'artisanat finlandais de **Jyväskylä**

FRANCE
Musée du costume d'**Avallon**; Musée des Tissus et des Arts décoratifs de **Lyon**; Musée de la Mode et du Costume de la Ville de **Paris**, Palais Galliéra; Musée de la Mode et du Textile, Louvre; Musée de l'histoire de France de **Versailles**

HONGRIE
Musée des arts appliqués de **Budapest**; Musée municipal de **Gödöllö**

INDE
Ahmedabad The Calico Museum of Textiles

IRLANDE DU NORD
Belfast Ulster Museum; **Magherafelt** National Trust, Springhill, The Lenox-Conyngham Collection

ITALIE
Florence Galleria del Costume, Palazzo Pitti; **Venise** Fortuny Museum, Museo Civice di Venezia

JAPON
Musée de la mode de **Kobe**; Institut du costume de Kyoto; Musée national de **Nara**

PAYS-BAS
Utrecht Centraal Museum

PAYS DE GALLES
Powys Llanidloes Museum; Newtown Textile Museum; Powysland Museum, Welshpool

PORTUGAL
Lisbonne Museu Nacional do Traje e da Moda,

RÉPUBLIQUE D'AFRIQUE DU SUD
Johannesburg Bernberg Museum of Costume

RÉPUBLIQUE TCHÈQUE
Musée des arts décoratifs de **Prague**

RUSSIE
Musée de l'Ermitage de **Saint-Pétersbourg**

SUÈDE
Stockholm Moderna Museet; Nationalmuseum; Nordic Museum

Crédits photographiques

pp. 2, 7, 12, 14, 20, 28, 30, 35, 36-40, 42-43, 55, 59, 60, 66, 68, 70, 76-77, 85, 87, 88, 91, 93, 94-96, 99, 100, 102, 106, 108-109, 111, 112, 119, 124-125, 144 © V&A Images, Victoria and Albert Museum

pp. 10, 24 © NTPL/Derek E Witty

p. 13 © NTPL/John Bethell

pp. 15, 16, 123, 134 © Fashion Museum, Bath & North East Somerset Council

pp. 17, 58 © 2007 Museum Associates/ Lacma

pp. 19, 26, 154-155 © Collection de l'Institut du costume de Kyoto, photos de Toru Kogure

pp. 22, 46, 49, 75, 83, 116-117, 126, 132-133, 135, 138-139 © The Metropolitan Museum of Art

pp. 23, 25, 84 © Manchester City Galleries

pp. 27, 29 © Giraudon/Bridgeman

pp. 32, 33, 53 © NTPL/John Hammond

pp. 34, 90 © Museum of London

p. 41 © McCord Museum M6327.1-3

p. 45 © Kunsthistorisches Museum, Vienne

pp. 48, 52 © Victoria & Albert Museum/ Bridgeman

p. 51 © Mary Evans Picture Library

pp. 54, 56 © National Portrait Gallery, Londres

pp. 57, 74, 113, 115, 116-117, 120 © Collection de l'Institut du costume de Kyoto, photos de Takashi Hatakeyama

pp. 63, 92 © Reproduit avec l'autorisation de Sotheby pour leurs archives de Cecil Beaton

pp. 64, 79, 80 © Philadelphia Museum of Art : don de Mme Elsa Schiaparelli, 1969, photos de Lynn Rosenthal

p. 67 © Swim Ink 2, Llc/Corbis

p. 69 © Succession de Minnie Drexel Fell Cassatt, Drexel Historic Costume Collection, reproduit avec l'autorisation de la Drexel University. Photo David Gehosky

pp. 71, 97 © Museo del Traje, Madrid

pp. 72-73 © Reproduit avec l'autorisation du Walsall Museum

p. 82 © Photos de Cecil Beaton, Camera Press, Londres

p. 98 © National Museums Liverpool, Walker Art Gallery

p. 101 © National Gallery of Victoria, Melbourne, Australie. Don de l'artiste, 1975

pp. 103, 105, 140, 143 © Reproduits avec l'autorisation du Museum at FIT, NYC

p. 104 © The Trustees of the National Museums of Scotland

p. 107 © National Gallery of Victoria, Melbourne, Australie. Acquisition, 1985

p. 110 © Sefton Samuels/ National Portrait Gallery, Londres

p. 118 © Experience Music Project I Science Fiction Museum, collection permanente

p. 121 © Collection : Powerhouse Museum, Sydney. Photo : Andrew Frolows

p. 122 © photo by Ken Howie

p. 128 © Reproduit avec l'autorisation du Crafts Council, photo de Heini Schneebeli, 2007

p. 129 © Collection : Powerhouse Museum, Sydney. Photo de Sue Stafford

p. 131 © net-a-porter.com

p. 136 © Reproduit avec l'autorisation de Decades

p. 142 © Collection Powerhouse Museum, Sydney. Photographe inconnu.

Première de couverture (de gauche à droite en partant du haut)

© National Museums Liverpool, Walker Art Gallery

© Reproduit avec l'autorisation de Sotheby pour leurs archives de Cecil Beaton

© The Metropolitan Museum of Art

© V&A Images, Victoria and Albert Museum

© V&A Images, Victoria and Albert Museum

© V&A Images, Victoria and Albert Museum

© V&A Images, Victoria and Albert Museum

© V&A Images, Victoria and Albert Museum

© Museo del Traje

© Reproduit avec l'autorisation du Museum at FIT, NYC

© The Metropolitan Museum of Art

© Collection du Powerhouse Museum, Sydney. Photo de Sue Stafford

© V&A Images, Victoria and Albert Museum

© The Metropolitan Museum of Art

© Collection de l'Institut du costume de Kyoto, photo de Toru Kogure

Deuxième et troisième de couverture

Manteau en soie crème, 1740-1745. Victoria and Albert Museum, Londres © V&A Images, Victoria and Albert Museum, Londres.